MIURA AYAKO LITERATURE MUSEUM

三浦綾子記念文学館

手から手へ～三浦綾子記念文学館復刊シリーズ①

果て遠き丘　一

三浦綾子

果て遠き丘　下　もくじ

カバーデザイン　齋藤玄輔

軌跡

軌跡

一

軌　跡

「まあ、すばらしい」

章子（あきこ）は思わず叫んだ。

いま、章子は、金井とともに、旭岳のケーブル・カーの中にいる。こんなに山に登る人間がいるのかと思うほど、ケーブル・カーは満員だった。リュックを背負った若者たちが、するすると登って行くケーブル・カーの窓から、生き生きとした目を輝かせて、外を見ている。街のバスの中では見られない目の輝きだ。街で見るバスの中の人たちの目は、そのほとんどがうつろだ。

章子も目を輝かせながら、眼下の這松（はいまつ）群を眺めた。這松がいちめんに、灰色がかった緑をこんもりと斜面に見せてつづいている。

「雄大でしょう」

喜ぶ章子に、金井（かない）も満足したようにいう。近ごろは和服姿の多い章子が、今日はジーパンをはき、同じ布地の上着を着ているのも新鮮だ。

「この下は、熊の通り道だそうだ」

　誰かがいった。

「じゃ、ここに落ちたら、みんな熊の餌だな」

　朗らかに誰かが答えた。みんなが微笑した。山に登る者には連帯感がある。

　右手に十勝連峰がくっきりと見えてきた。しだいに下方の展望がきいてくる。八月の陽の下に山並みが幾重にもたたなわり、それを眺める章子のまなざしが幸せそうだ。

「熊が出るのかしら」

　章子がささやくように聞く。

「そりゃあ、わかりませんよ。名だたるヒグマの棲息地ですからね、大雪山系は」

「こわいわ」

「大丈夫ですよ。いざとなったら、ぼくが食われてあげますよ」

「あら、金井さんが食われたら困るわ。わたしが食べられてあげなくちゃ」

　章子が真剣な顔になる。

　ケーブル・カーは、やがて終着姿見の駅に着いた。戸があき、一歩外に出ると、さわやかな空気が頬をなでた。いや、さわやかというより、むしろ秋冷といったほうがいい。駅を出て、

「まあ！」

　再び章子は声をあげた。つい目の前に、噴煙をあげる旭岳(あさひだけ)が見えたからだ。山ひだをつまめるほどの近さだ。

「これが北海道の最高峰だよ」

「何メートルだったかしら、旭岳は？」

　手に持っていたリュックを、肩にかけた金井を章子は見た。

「二二九〇だったかな」

「そう。みんな登ってるのねえ」

　細い山道を、何人か隊になって登って行く。その姿を眺めながら、章子はしばし駅の前に立った。章子ははじめて、いま山にきたのだ。海に行ったことはあっても、なぜか山に登る機会はなかった。旭岳の山腹には白い噴煙がやや斜めに絶え間なく立ちのぼっている。一木もない白茶けた地肌が露出していて、旭岳には、いかにも活火山の不気味なふんいきがあった。

「歩ける？」

　金井はやさしく章子をかえりみた。

「大丈夫よ」

昨日買ったばかりの登山靴を、章子はちゃんとはいている。大丈夫といいながらも、章子の胸の中にかすかな不安があった。今日この山で、自分と金井のうえに、何かが起こるのだ。

（いや、何も起こらないかもしれない）

そう思って、章子は歩きだした。道の両側に柵がある。お花畑に人がはいらないようにと作った柵だ。章子は少しがっかりした。お花畑というのは、いちめんに山腹に広がっているものだと思っていたのに、公園の花畑のように、柵でしきられている。そういうと、金井は、

「しかたがないよ。近ごろは登山者のマナーが悪いんだから」

「がっかりね……まあ！　かわいい白い花」

岩陰に桜の形をした小さな白い花が、群がって咲いていた。

「なんという花かしら」

「チングルマですよ。このあたりにまだチングルマが咲いているとは思わなかったな。残雪の多い黒岳（くろだけ）のほうだとまだ花はあるはずだがねえ。あのね章子さん、雪が溶けたばかりのところが春なんですよ。だからこのへんはもう秋ですよ」

はじめて山にきた章子に、金井はいちいち説明してやる。

旭岳はすぐ目の前に見える。十分も歩けば登れそうな、そんな目近さだ。が、歩きだすとけっこう遠い。章子は金井の足跡を踏むようにして歩いて行く。金井の足は長い。足跡を追うだけで、精いっぱいだ。つい黙りがちになる。

「どうしたの、黙りこんだね」

ぐっと親しみを見せた語調で、金井がふり返る。

「だって……」

甘えたようにいって、章子は立ちどまった。

「ああ、少し早過ぎたかな」

少し金井が速度を落とす。章子はその足跡を辿りながら、幸せだった。自分は一生、この人の後について行くのだ。そう思うだけで、体のすみずみまで、幸せに満たされるような気がした。

ふっと、香也子（かやこ）の顔が目に浮かんだ。不快というより、ようやくいま見返すことのできたような、小気味のよい思いだ。それにしてもどうして金井が自分を山に誘ったのだろうかと、章子は考える。登りがしだいにきつくなる。

（結婚って、二人っきりで、こうして黙々と苦しい道を歩くことだと、わたしに教えたいからかしら）

若者たちが五、六人、足ばやに二人を追いぬいて行った。上のほうで、鐘の音が聞こえる。

「なんの音?」

「熊除けの鐘ですよ」

「あら、熊が近くにいるのかしら」

再び章子は立ちどまった。

「大丈夫ですよ、みんな鐘を鳴らして遊んでいるのさ」

まもなく二人は姿見の池のそばにきた。池というより沼の感じだ。旭岳の白茶けた地肌が沼に映って、沼はひどく深く見えた。と、その時金井がいった。

「ここらでおにぎりを食べたら、山登りは終わりにしようよ」

「え? これで終わり?」

金井が変にニヤニヤしてうなずいた。

「まあ、もう帰るの」

「章子さんの足じゃ、縦走は無理ですよ。午後から天気も変わりそうだし……。少しこのあたりで遊んでさ、ね、いいでしょう」

なんとなく、章子は肩すかしをくったような気がした。

「いい景色でしょう。ここの眺めは」

指さす麓のほうを眺めながら、章子は黙ってうなずいた。山が幾重にも波のように重なって、遥か彼方にまでつづいている。

「冬にはね、ここから利尻富士（りしりふじ）が見えるんだって」

黙っている章子の機嫌をとるように、金井は章子の肩に手を置いた。

「まあ！　利尻富士が？」

利尻岳（りしりだけ）は、稚内（わっかない）に近い日本海の利尻島（りしりとう）の山だ。海の上にそのまま置いたような、珍しい山容だ。

金井の指さすほうを見つめている章子に、金井はささやいた。

「山の石室（いしむろ）より、麓の温泉宿のほうが、いいでしょう？」

章子は黙って、利尻岳が見えるという遠い彼方に目をやっていた。

二

金井はすでに寝息を立てていた。それが章子にはふしぎだった。生まれてはじめて二人は結ばれたというのに、なぜこんなにも早く金井は眠ることができるのだろう。それが章子にはよくわからなかった。

今日、章子と金井は旭岳の山腹を少し歩いただけで、再び登山口の勇駒別（ゆこまんべつ）に帰ってきた。勇駒別には、温泉宿が何軒かある。しかし登山シーズンで、予約をしなければ、宿はとれないはずなのだ。

「宿はあるのかしら」

ケーブル・カーを降り立った時、章子は呟いた。

「ありますよ。ちゃんとぼくが予約しておきましたからねえ」

「まあ、予約して？」

驚く章子を見て、金井は、

「うん、最初っから、石室に泊まる気はなかったんですよ」

そしていった。

「はじめての二人っきりの夜でしょう？」

章子は少し淋しいような気がした。なぜ最初から、そのことを自分に打ち明けてくれなかったのか。金井一人に事を運ばれたことが淋しくもあった。しかし宿に着くと、その章子の淋しさは消えた。

部屋に通されて二人っきりになった時、金井は章子をいきなり抱きよせていったのだ。

「とにかく、二人っきりになりたかったんだ。わかるね」

金井の若い体が、力いっぱいに章子を抱きしめた。

「はじめから宿に泊まるといったら、君は賛成してくれないと思ってね」

そうもいって金井はあやまりもした。

夕食が終わり、温泉に疲れをとり、はやばやと消灯した二人は床についた。

「登山なんかで、疲れきってしまいたくなかったんですよ。はじめて君を抱くというのに」

金井はそういっていた。章子自身、二人は今夜山の上でどんな夜を過ごすのだろうと、さまざまに想像していた。どうせ十一月には結婚する二人だ。求められたら、許してもいいと思っていた。が、嵐のように金井が自分をかき抱いたあと、はたしてこれでよかったのかと、章子は思い返していた。

金井は自分を愛している。自分も金井を愛している。しかも二人は婚約者だった。その二人が結ばれたからといって、なんのふしぎもないと章子は思う。が、はたして本当だろうかという思いが残る。なぜそんな思いが残るのか。それが章子は気にかかる。

男と女が愛するということは、こんなことだったのかと、誰かに問いたいような思いが、いま章子の胸にあった。これは愛のすべてではないと思いながらも、なんとなく章子は淋しいのだ。

（せめて……）

あのチングルマを一輪、二人の枕もとにさしたかった。山の上で見たチングルマの清純な白を、章子は思い浮かべた。

（わたしは古風なのかしら）

愛する者がはじめて結ばれるのだ。ただ、嵐のように激しく結ばれるだけでよいのだろうか。人間は動物ではない。犬とはちがう。猫ともちがう。人間の、男と女が結ばれるためには、やはり、何者かの前に誓い合うおごそかな式があったほうがいいような気がする。おごそかな式と決意があってこそ、犬や猫とちがった結びつきがあるような気がする。

金井が荒々しく自分を抱く前に、せめて、

「生涯、君を愛し続ける。君のよき夫となる」

といい、

「君もまた、ぼくの妻として一生を生きてくれるね」

と、手を固く握りしめてくれたなら、どんなに心を満たされただろうと思う。そして、ただ一輪の花でも飾りたかったと、くり返し章子は思うのだ。

ふだん章子は、それほど花に心を寄せてはいない。それが今夜は、二人の出発のために、花がほしかったと、しきりに思うのだ。

金井が寝返りを打って向こうをむいた。が、足は章子の足にふれている。

(でもいいわ。わたしは政夫さんとは他人でなくなったんだもの)

胸の中で呟きながら、章子は香也子の顔を、誰の顔よりも思っていた。香也子のように、二人の間に水をさそうとする者がいては、こうして結ばれるほうが、安全なのだという気がする。この金井に、香也子がキスを迫ったという。その心理が、章子にはなんとしても理解ができない。そのうえ、

(政夫さんが神居古潭で妙なことをしようなんて……)

だがその香也子と一つ屋根の下に住むのも、あと三か月足らずだと思うと、章子はのびのびする思いだった。

まだ、十時をどれほども過ぎていない時間だ。大声でしゃべりながら廊下を歩く客がいる。どこかの部屋で、どっと笑う男女の声がする。章子はそっと起き出して窓によった。柱も

鴨居も、白樺（しらかば）の丸太でできている部屋だ。宿の向かいの原に、黄色いテントが三つ並んでいた。懐中電灯なのだろうか。どのテントも明るく点（とも）り、人影が大きく映っていた。どのテントにも、男と女がいた。真っ暗な山が、テントの向こうにあった。ひとつのテントでは、男と女が向かいあって話している。他のひとつのテントでは、まだ食事の用意でもしているのか、立ったりすわったりの影が見える。

「あ!」

かすかに章子は声をあげた。ひとつのテントの灯が消えたのだ。ただそれだけのことだ。が、章子は、若い一組の男女が、ひとつテントに寝るということが、どんなことなのかわかるような気がした。それはやはり、

「あ!」

と、思わず声をあげずにはいられないものなのだと思う。

ひとつのテントの灯が消えると、次のテントの灯も消えた。章子は窓を離れて、床に戻った。男と女が愛するということ、それはみんな同じ行為なのか。何かそれが章子にはたまらなかった。

と、その時、金井が何かいった。

「え?」

自分が呼ばれたと思って返事をした。が、金井は寝言をいったようだった。つづいて荒いいびきが聞こえた。章子はふっと微笑した。金井がいびきをかくのは、似合わない気がした。が、似合うにせよ、似合わないにせよ、現実に金井はいびきをかいている。

結婚したならば、このようにして二人は床を並べ、お互いのいびきを聞いたり、寝言を聞いたりして過ごしていくのだろう。おそらく昼の生活には、もっとさまざまの、いままで見なかった面を、お互いに見せ合うにちがいない。

冴えていた目が、しだいに眠くなってきた。さすがに登山の疲れが出てきたのだ。章子は、金井と自分がいつまでも真実な愛で結ばれるようにと願いながら、いつしか眠りにはいっていった。

チングルマが鮮やかに白く咲いている。

（あら、いつまた山にきたのかしら）

思いながら章子は、チングルマの花群の中にすわっていた。金井がそのあたりにいるようだ。が、姿を見せない。

と、向こうのほうで、小鳥の声が聞こえる。小鳥の啼（な）くほうを見ると、桜が鮮やかに咲いていた。その桜の木の股に、真っ赤なバラと、白百合の花束が飾られている。ピンクのリボンでしばられた花束が、ひどく美しかった。

「それがほしかったのよ」

といって、章子はチングルマの花畑の中にすっと立った。

いつのまにか、章子は真っ白なレースのイブニングドレスを着ている。レースの模様はチングルマだ。

「あら、政夫さんどこに行ったのかしら」

呟いた時、桜の幹に飾られていた花束が、空中をゆっくりと漂いながら、傍にきた。そして、章子の目の前で、水の上に流されるように横になった。と思うと、それがまた縦になった。

「あら、おもしろいわ」

といった時、

「おもしろいでしょう」

という声がした。思いがけなく整（ひとし）の声だった。整がモーニングコートを着て、花束を持っていたのだ。

「あら、整さん」

整はニコッと笑って、章子の腕に手をかけた。

とその時、章子は肩をゆさぶられていた。

ハッと目を覚ますと金井の顔が近々と目の前にあった。

三

柱時計が静かに三時を打った。と、玄関の引戸のあく音がした。

「あら、おばあちゃんよ」

いまきたばかりの西島と向かい合っていた恵理子が立ちあがって、迎えに出た。

「お帰んなさい、おばあちゃん。いらしてるわよ」

「いらしてる、誰が？」

敷台にあがったツネが、けげんな顔をした。灰色のうすものに、紺の絽の帯を少し低めにした姿は、名優のような貫禄がある。

「誰がって……」

恵理子はちょっと顔をあからめて、

「土曜日でしょう、だから……」

ツネはハハンといった顔になってうなずき、

「ああ、恵理子の彼氏かい」

と、さっさと茶の間にはいって行った。

「おやまあ、いらっしゃい」

西島が白い夏座布団からすべり降りて、

「お邪魔しています。はじめまして、西島です」

と、礼儀正しく両手をついた。快活なくもりのない声だった。ツネはその西島を一瞥して、自分も両手をつき、

「恵理子の祖母です。よろしく」

と挨拶したが、頭をあげると、

「ねえ、保子(やすこ)。わたしゃね、デザイナーなんて商売の人、もっとヘニャヘニャと女くさいかと思いましたよ。意外と気持ちのいい人じゃないの」

「まあ、お母さんったら」

たしなめるように保子がいい、恵理子も、

「いやだわ、おばあちゃん。ごめんなさいね西島さん」

「わたしはね、西島さん、思ってることは、みんな口に出していう性分ですからね。腹ん中に何か隠しておくと、気分が悪くってね。ま、気を悪くしないでくださいよ」

「ハア、わかりました」

西島は微笑した。

「ああ暑い暑い」

ツネは帯に挟んでいた扇子をひらきながら、

「暑いのも、もう終わりかもしれませんね」

と、庭のコスモスに目をやった。風のない日だ。コスモスも、丈高いヒマワリも、芝居の小道具のように、じっと動かない。それがまた暑さを誘う。

「西島さん、あなたお楽になさいよ」

きちんと正座している西島に、ツネはあぐらをすすめる。

「ありがとうございます。でも、ぼくはこのほうが楽なんです」

「おや、珍しいこと。いまどき正座のほうが楽だなんて若い人には、滅多にお目にかかりませんがね。お茶にくる女の子だってね、二十分もすわったら、もう立てないんですからねえ」

「でも、背骨をまっすぐにしてるのが、いちばん楽なはずなんですよ」

「なるほど、背骨をまっすぐにねえ」

「ええ。で、ぼくたち、よくお客さんに疲れない椅子を作ってくれっていわれるんですが、そんな時は、背骨をまっすぐにさせることを考えればいいんです」

「まあ、疲れない椅子なんか、あるんですかねえ。わたしはひとさまの家に行って、あのソファーとかいうグニャラッとした椅子にすわるのが大嫌いでねえ。じきくたびれっちまうから、失礼しておすわりさせていただくんですよ、椅子の上にね」

「わたしもよ、お母さん」

西瓜を運んできた保子がいった。

「ソファーってのは、疲れますからね。ぼくたちだって疲れますよ。柔らかいほど疲れやすいんです」

「人間ってばかなもんだね。柔らかけりゃ楽だと思って、かえって疲れてるんですからねえ。おや、よく冷えてますよ、この西瓜は」

と、ツネは一口食べて、

「おあがんなさい」

とすすめる。

「いただきます。西瓜は大好物です」

遠慮せずに、西島は食べはじめた。恵理子もスプーンで種を落としながら、なんとなく落ちつかない。ツネが何をいいだすかわからないからだ。

「ところで、西島さん。あなたのご趣味は?」

「ぼくはあまり趣味がないんですが、ギターぐらいでしょうか」

「あら、お茶もなさるのよ、おばあちゃん」

「あ、そうですってね、お流儀は？」

「お宅さんと同じ表千家（おもてせんけ）です。もっとも、かじっただけですが」

「いやにおあつらえむきだねえ」

「読書もなさるのよ、おばあちゃん」

「読書、そうかい、それも高尚だねえ。でもさ、汽車になんか乗っていると、まわりの殿方が、誰も彼も、なんだかいやらしいもの読んでますよ。いや、眺めてるんですかねえ、あれは」

「あら、西島さんはちがうわ」

「わかりませんよ、恵理子。ね、西島さん。汽車の中で女の裸の写真を見ている殿方たちだって、趣味は読書っていうかもしれませんよ。西島さんだって、女の裸の写真なんか見るでしょう」

「申しわけありませんが見ます」

西島は頭をかいた。

「ほうらね。男は必ずそうなんだから。あんなもの眺めてる時の男の顔ってのは、見られませんよ。西島さんのそんな顔だって、きっといやらしい顔をしてますよ、恵理子」

「参ったなあ」

西島は二つめの西瓜に手を出した。

「ごめんなさいねえ、西島さん」

ツネは、困っている恵理子をちらりと見、西瓜でぬれた指をおしぼりで拭きながら、

「ね、西島さん、わたしゃね、本当は恵理子を、どこにも嫁にやりたくないんですよ」

「え？　それは……なぜですか？」

驚いた西島が、西瓜を皿に置いた。

「なぜってね、あなた。結婚して幸せになった女になんて、滅多にお目にかかれませんからね」

「そうでしょうか」

「そうですとも。それにこのごろの若い人たちの恋愛ってのが、わたしゃ嫌いでね。知り合ったらすぐにキスだのなんだの、いちゃいちゃして。このあいだも聞きましたがねえ、高校生が友だちから金を集めて、子供をおろしたとかってねえ。恐ろしい世の中ですよ」

ツネは、弟子に聞いた話を思い出して眉をひそめる。その弟子は高校生だった。クラスメートが妊娠した時、みんなで金を出し合って、堕胎させたという話だった。それが今年になって二人めだというのだ。

「え？　ほんとですか」

「ほんとうですってよ、西島さん。ね、恵理子」

保子もいう。

「その点、昔の恋愛はよかったね。どんなに好きでも、お互い口にも出せないで、その家の前を行ったりきたり、うろうろしてねえ……。それでひと目顔が見えたら、満足してねえ。おばあちゃんたちはそうでしたよ」

「その相手がお父さんだったの、お母さん」

「いいえ、あれは別口ですよ。お父さんとはお見合い。それはともかく、いまの恋愛ってのは何かいやらしい。すぐにふっついちゃうんだからね。こんなことといったら、西島さん、わたしを古いと笑いますかね」

「いや、べつに、笑いませんが……」

「まあ、古くたってかまいませんけどねえ。何も新しいものがいいと決まったわけじゃなし。なんだかんだいってもね、女が泣いているのは、つまりは体を許してしまうからですよ。赤ん坊ができたの、病気をうつされたの、捨てられたのってねえ。ほら、こないだの、ありゃひどかった。どっちの子かわからないってね」

ツネはいくぶん怒った表情になる。本当に腹を立てているのだ。

「ほんとねえ、おばあちゃん」

「ほんとですよ、恵理子。男は体だけはいただくけれど、だいたいが食い逃げですからね。もともと最初から食い逃げのつもりの男が多いんですよ。責任をとりたくないもんだから、同棲だのなんだの、甘い汁を吸ったら、どろんですよ」

「なかなか手きびしいですねえ」

「手きびしいですよ、西島さん、わたしは。わたしも男には泣かされましたからね。とにかく男は生まなずるい狡いというのが、わたしの持論でね。ところがいくらいっても、このごろの女たちはわからなくってねえ」

ちらりとツネは保子を見る。保子はその視線を避けるように、すっと立って台所に行った。

「とにかく、泣かせないでくださいよ、西島さん。手だの足だのに、なれなれしくさわられちゃ困りますよ」

「努力します。むずかしいですが」

さわやかに西島は笑った。笑いながら、西島は香也子のことを思った。香也子は昨日、西島を訪ねて、木工団地のショールームに現れたのである。

四

恵理子は、西島に自分の部屋を見せるのが恥ずかしい気がした。西島のように、年中家具と取り組んでいる人間には、部屋を見る目が、他の人間より鋭いような気がした。が、ツネが二人を追いたてるようにいったのだ。

「さ、西島さん、もう無罪放免ですよ。さっさと二階にいらっしゃい。ここにいたら、もっともっと意地悪い質問をしかねませんからね、わたしは」

その言葉が、恵理子にはうれしかった。西島に部屋を見せるのは恥ずかしいが、二人っきりになれるのはうれしかった。

「ああ、いい部屋ですね」

西島は立ったまま、恵理子の部屋を見まわした。

「そうですか。でも殺風景でしょう」

はにかみながら、恵理子は座布団をすすめた。

「いや、殺風景なことはありませんよ。ちゃんと絵もあるし、床の間には桔梗も活けてあるし」

西島は満足そうにいってすわった。

「ここはわたしの仕事場でもあるのよ」

「ずいぶんきれいな仕事場ですね。ぼくの部屋にくらべると」

八畳の部屋隅に、ミシンと壁に立てかけた裁ち台があり、木製の本棚には、文学書や洋裁の本がきちんと並べられていた。

「そうか、ここであなたは、いつも洋裁をしてるんですね」

西島は立ってきて窓によった。恵理子もそのそばに立った。ポプラの木が五、六本並ぶ小川のむこうに、西島の住む寮のクリーム色の壁が見えた。

「ずいぶん近くに住んでいるのね、わたしたちは」

「ふしぎなくらい近いですね。川ひとつ隔てただけなんて」

いって西島はちょっと黙った。

「ごめんなさいね、おばあちゃんが妙なことばかりいって。気を悪くなさった?」

「いやあ、気持ちのいい人ですよ、お宅のおばあちゃんは。何をいってもあたたかみがありますからね」

「そういっていただくと、うれしいわ」

「近ごろの大人は、ああハッキリとは、なかなかいってくれませんよ。へんに愛想がいいだけですよ。若い君たちの気持ちはよくわかるとか、若い時は二度とないから、遊べるだけ遊べとか……無責任な大人が多いですよ」

「それもそうね」

恵理子は、父の容一（よういち）の愛想のよい顔を思い浮かべた。

「大人には大人の意見があっていいはずですからね。ぼくら若造とまったく同じ意見じゃ、おかしいですよ。その点、お宅のおばあちゃんは、なかなかいいですよ」

「ありがとう西島さん。おばあちゃんにそういっておくわ」

恵理子は畳の上にすわった。西島も座布団の上に戻りながら、

「しかし、うれしいですね、恵理子さんの部屋を見せてもらえるなんて」

はめこみの洋服ダンスと和ダンスがあるだけで、飾りの少ない部屋だ。人形ひとつ置いていない。しかしそれがかえって、部屋を清潔に見せている。隣の十二畳間は茶道教授の部屋だが、壁で仕切られている。

西島は、本の背表紙をひとつひとつ眺めていたが、不意にふり返って恵理子を見た。

「あの……」

西島が胸のポケットに手をやった。

「これなんだと思います？　恵理子さん」

白い紙に包んだ四角いものを、西島は恵理子にさしだした。

「何かしら？」

　西島はまじめな顔をしていた。

「写真かしら？」

　恵理子は首を傾けた。

「そのとおりですよ。どんな写真だと思います？」

「そうね、西島さんの赤ちゃんの時の写真かしら」

「ご名答といいたいところだけど、ぼくのじゃありませんよ」

「あら、じゃ、ご家族の？」

「家族？　そうなってほしいですね」

「そうなってほしい？」

「あけてごらんなさい」

　恵理子は紙をひらいて写真を取り出した。

「あら、わたしと整(ひとし)さんの写真……どこで撮ったのかしら」

　驚いて恵理子は西島を見た。その恵理子の表情を、西島はじっと見つめた。

「ひとしさんって、どなたです？」

「従兄(いとこ)よ」

「従兄ですか」

西島の表情がちらりと動いた。

「だけどへんね、整さんと二人で写した覚えはないわ」

恵理子はまじまじと写真を見つめた。二人が楽しそうに肩を並べて笑っている。バックにはただ青い空があった。

「へんね、どこで写したのかしら」

しきりに思い出そうとする恵理子の表情にうそはなかった。

恵理子はもう一度写真を見つめた。と、ハッと思い出したように、

「わかったわ。わたしこのノースリーブを着たのは、このあいだのお墓参りの時よ。あの時、お墓を囲んで母や祖母と一緒に、香也ちゃんに写してもらったのよ」

「香也子さんに？」

西島はちょっと驚いた顔をした。

「でも、四人で写してもらったのよ。へんねえ、どうして二人だけ写ってるのかしら」

「そうですか、香也子さんが写したんですか。それでわかりましたよ」

「何がおわかりになったの？」

「あの人、いたずらをしたんですよ。みんなを写すふりをして、あなたがただけを写したん

ですよ」

「まあひどい！　わたし、いつ整さんと二人で写したかと、びっくりしたのよ。じゃ、この写真は香也ちゃんから？」

「香也子さんからです。昨日うちの会社のショールームに現れましてね。いいもの見せてあげるって、これをくれたんですよ」

「まあ！」

「正直のところ、どきんとしました」

「だけど、どうしてこんな写真をあなたに持って行ったのかしら」

「ぼくをどきんとさせるのが、香也子さんのねらいじゃなかったんですか」

「まあ！　いたずらっ子ね、香也ちゃんも」

恵理子は姉らしく笑った。が、笑いきれない何かが残った。わざわざこの写真を西島に持って行ったのは、たんなるいたずらかどうかと、恵理子は気にかかった。

「この写真をみたとたんに、じつはね、この人があなたの恋人かと思ってあわてましたよ」

「あら、整さんが恋人だなんて、今度紹介しますわ。なんならいますぐでも……」

「ぼく、この写真をあなたに見せようか、どうかと、じつは迷ったのですよ。でも見せて本当によかった」

西島は恥ずかしそうにいった。

五

ひとところ出ている青空が、しだいに広がっていく。扶代(ふよ)はその雲を、テラスに立ってじっと見ていた。雲は動くとも見えぬ動きで、青空を広げていくのだ。眺めながら、扶代はなにかやりきれない思いになっている。

今日になって突然、容一が稚内に出張だといった。いままで、そんなことは決してなかった。出張はだいたい月初めに決まっていたし、どんなに突然でも、前日にはわかっていた。それが、昼近く会社から電話がかかってきた。

「車で稚内に出張するからね。明日帰ってくるよ」

いつもの機嫌のよい声で容一はいい、

「ところで章子は帰ってきたかね」

と、やさしく尋ねた。

「まだよ。昼過ぎには帰ると思うけど……お気をつけて行ってらして」

扶代の疑心は電話を切ってから湧いた。

(どうしてこんなに急に……)

そんなことは、男の世界にはあるかもしれないと思いながら、しかし扶代は、直感的に容一は出張ではなく遊びに行くのだと感じた。それが何時間もたったいまも尾を引いている。

「章子は帰ってきたかね」

と、優しく聞いたその言葉も、なにかとってつけたようなやさしさに感じたのだ。扶代は反射的に、保子(やすこ)の顔を思い浮かべた。なぜか保子も同行するような気がしたのだ。

以前は、容一からときおり、保子の潔癖さについて聞かされていた。それを語る時、容一は、酒のさかなにするような調子で語り聞かせてくれたものだ。

「何しろ、あきれた女でね。ぶどうを一粒一粒ごしごしと洗うんだ。そして、それをまた一粒一粒拭くという念のいれようさ。おまけにだよ、そのぶどうの皮は決して口にいれない。指でつまんで中身だけをつるりと舌にのせるんだ。ありゃあ、ま、特技だね」

そんな時、容一は愉快そうに声を上げて笑う。

「だから、決して旅行なんてできない女さ。万やむを得ず旅行しなければならないことがあるだろう。すると、あいつが第一番めに用意するものは、なんだと思う。アルコールをひたした脱脂綿さ。医者が往診カバンに入れて歩く、あんな少々の量じゃない。まずあれの三十倍は持って行くんじゃないかな。ホテルについたら、それでまず、取っ手だの、水道のひねり口だの、電話の受話器だの、スリッパだの、そうだ電灯のスイッチから、備えつけの鉛筆まで、ごしごしと消毒するという騒ぎさ」

容一はいかにもうんざりしたようにいい、自分が扶代と親しくなったのは、無理もないだろうというのが常だった。だがこのごろは、ほとんど保子の話をしない。それがかえって、扶代の神経を刺激する。万一、容一が保子とよりをもどしたとしても、扶代にはそれをとがめることはできないような気がする。扶代の心の中に、自分が保子を追い出したという呵責（かしゃく）がある。いま自分が、れっきとした妻でありながら、保子の前には依然として陰の女のような意識がある、扶代はそういう女だった。

もうひとつ、扶代の心を重くしているのは、章子の帰りが一日遅れたことであった。二泊の予定で出た章子が、ついに三泊もした。そのことがやはり扶代には気にかかるのだ。婚約者である若い二人が、結ばれたであろうことは容易に想像できる。扶代は、章子に生まれたままのからだで花嫁姿になってほしいと思っていたのだ。結局は結婚する二人であるとはいえ、もっと意志的に、理性的に生きてほしいという思いがあった。

いや、結婚する二人であるからこそ、その出発を大事にしてほしいと思っていたのだ。

〈はじめのボタンをかけちがうと、最後までかけちがう〉

という諺がある。長い一生をともにする二人であればこそ、一時の激情に押し流されるような出発であってほしくはないのだ。

自分が保子にたいしてうしろめたい思いをもつのは、容一の結婚する前に結びついてしまったためではないか。容一が離婚してから結ばれたのなら、こんなうしろめたさがなかったかもしれぬ。

（章子は、まあ、再婚じゃないから……）

思いながら扶代は、広がって行く青空を眺めていた。

とその時、玄関のほうで、バタンと車のドアの閉まる音がした。ブザーが鳴った。表玄関はいつも錠をおろしている。お手伝いの絹子の出て行く気配がした。扶代も急いで玄関に出て行った。

「ただいま、お母さん」

「すみません、遅くなりまして。ただいま無事帰りました」

章子と金井がドアをあけて玄関にはいってきたところだった。

「まあ、お帰んなさい」

いいながら扶代は、章子を見つめた。章子は伏し目になったが、ちらりと扶代を見あげた。

扶代はその視線で、すべてを了解した。

「あら、お帰んなさい。楽しかった？」

階段の上から、香也子の声がし、やがて白いパンタロンに、白いブラウスを着た香也子が姿を現した。

「ああ、楽しかったです。なあ、章子さん」

金井は章子の荷物を持ち、扶代のあとについて居間にはいった。

「そう、章子さんも楽しかった?」

「ええ」

章子の声は低い。

「聞くだけ野暮よね。予定より一泊多かったんだもの。楽しくないわけないわね」

香也子はチューインガムをクチャクチャと噛みながら、二人の顔を交互に見て、ニヤニヤ笑った。さも楽しくてしかたがないという顔だ。

「香也子さんも楽しそうですね」

金井が香也子をみると、香也子は両手を腰におき、胸をそらせて、欧米人のようなしぐさでいった。

「そりゃあそうよ。とてもうれしいことがあったんですもの」

「そうですか。いったいなんですか」

金井はあくまで快活だった。

六

絹子がアイスコーヒーを運んできた。扇風機がゆっくりと首をふりながら風を送っている。

「そうなの、雨に遭ったかと思って、お母さんは心配したけど、雨に遭わなかったの」

二人のこもごも語る話を聞きながら、扶代がうなずく。

「雨に遭わなかったけど、とにかくまいりましたよ。石室は登山客でびっしりでしてね。寝返りもうてなかったよねえ、章子さん」

一泊は勇駒別に、あとの二泊は、下山して天人峡に泊まったことなど、金井はおくびにも出さない。金井の話に合わせて、章子はうなずきながら、ともすれば伏し目勝ちになる。

「じゃあ、よく眠れなかったでしょう。ねえ章子」

「ええ、あまり……」

眠れなかったのは事実だ。めくるめくような、金井との三夜を、章子は思い浮かべながらうなずく。

「でも章子さん、寝返りもできないほどぎっしりだったら、楽しかったでしょ。金井さんとぴったりひとつになって」

香也子はわざとあどけない表情を見せる。

「これはまいったな」

「で、二晩めは黒岳(くろだけ)の石室だったわけね。あのあたりは熊が出るというじゃない？」

「ええ、それが……章子さん、恐ろしかったよねえ、あの熊の声」

「えっ!?　熊の声？　ほんと章子」

「ほんとよ、こわかったわ」

金井の嘘に、章子も合わせなければならない。いつか熊牧場で聞いた荒々しい熊の唸りを思い出しながら、口裏を合わせる。金井は二人が山を縦走したことを信じさせようとして、次々にありもしなかったことを話していく。

「だいたい、近ごろの登山客が悪いんですよ。食べ残しの罐詰(かんづめ)だの、おにぎりだの、石室の近くに捨てるでしょう。だから、あのあたりの熊は、人を恐れないんだそうですよ。石室のすぐ傍にゆうゆうと出てきて、残飯を漁るそうだからねえ」

「でも、あなたがたの泊まった時、声だけしたんでしょ」

北海道のヒグマは獰猛(どうもう)だ。それを知っている扶代は、眉をひそめて真剣に聞く。

「ええ、声だけです。しかし、しんとして物音のしない山の上で、熊の声を聞くなんて、考えようによっちゃ、ラッキーでしたよ。いかにも深山に登ったというあの感じは、なかなか味わえませんからねえ」

いままで幾度も山に登っている金井の経験のひとつかもしれないが、金井の言葉を聞いていると、章子は少し淋しい気がした。なぜ二人は大雪山の縦走をやめ、勇駒別と天人峡の温泉宿に泊まったといってはいけないのか。二人が今度の登山で結ばれたことを、金井は極力おしかくそうとしているのだ。むろんその気持ちは章子にもある。二人の間には何もなかったと、母にも父の容一にも、そして香也子にも思わせておきたい。金井と二人だけの秘密にしておきたいからだ。それでいて、金井の巧みな嘘が、少し心にかかるのだ。

だが章子は、もう金井とは決して離れられない仲になったと思う。それはからだが結ばれたことによる、悲しい女心だった。いま、金井が巧みに嘘をいっていても、それは自分たちの立場を悪くさせないための思いやりからだと、章子は思っている。だから嘘は気になっても、咎める気にはならない。あと三か月たてば、名実ともに金井の妻になれるということは、章子に安らぎを与えていた。この安らぎは、以前にはなかったものだ。

(やはり、結ばれてよかったのだわ)

ストローでアイスコーヒーを飲んでいる金井を、章子はちらりと見た。

「金井さん、今日はごゆっくりなさい」

母親らしい言葉で、扶代はいった。山のどこかで結ばれた章子と金井のために、心づくしの祝の夕餉（ゆうげ）をととのえてやりたいと扶代は思った。が、そんな扶代の思いも、金井は知らない。

「いや、これからうちにも顔を見せに帰らなくちゃ……」

「あら、そうですか。でも、何か作りますよ」

扶代はあくまで、二人のために宴を設けたかった。

「ありがとうございます。でももう四時半ですね。そろそろ帰らなくっちゃあ。今日はこれでおいとましますよ」

さっきからニヤニヤ二人の様子を眺めていた香也子がいった。

「いいじゃないの。金井さん、ゆっくりしてらっしゃいよ」

甘えるような声だ。しかも幼女のように素直な声だ。

「そうよね、香也ちゃん。今日はお父さんも出張だし……」

「え？　お父さんご出張ですか。そうか、それじゃ、ごちそうになって行くかな」

浮かしかけた腰を、金井は落ちつけた。思わず扶代は笑った。章子も微笑した。

「なあんだ、金井さん。パパが帰ってくるかと思って、腰が落ちつかなかったのね」

と、香也子はいい、

「何が金井政夫をそうさせたか」

と、金井の目をのぞきこむようにした。

「まいるなあ、香也子さんには」

金井は頭をかき、

「ね、章子さん」

と、章子をかえりみた。章子は黙ってうつむいている。

「じゃ、今日はごゆっくりなさることにして……」

扶代はキッチンのほうに立って行く。

「あのう……おふろを沸かしておりますが……」

絹子の大きな声がした。

「ありがとう」

章子が答えると、香也子がいった。

「お二人さま、ご一緒におふろにおはいりになりますか」

わざと宿の女中の口真似をする。

「いけないなあ、香也子さん、大人をからかっちゃあ」

「あら政夫さん、ずいぶん大人ぶったいい方をなさるのね」

「香也子さんよりは大人ですからねえ。ねえ章子」

「あら、いつから呼び捨てにするようになったの?」

間髪をいれずに香也子がいった。金井はしまったと思った。この三日間に金井は章子を呼び捨てにするようになっていた。いま、自分では〝さん〟をつけたつもりでいて、うっかりと忘れたのだ。

章子は顔を真っ赤にしていた。

「わたし、着がえてきます」

「金井さん、おふろにどうぞ」

助け船を出すように、扶代の声がかかった。

軌　跡

七

ふろにはいり、扶代の心づくしの夕餉を終え、金井が帰って行った。

金井の乗ったタクシーが、夕闇の中を走り去った途端、不意に香也子が声をたてて笑った。ギョッとするような笑い声だった。

「どうしたの、香也子ちゃん」

扶代が驚いていった。答えずに香也子は、ゲラゲラと笑いながら家の中にはいって行く。居間にもどった香也子は、ソファーにころげて笑った。

「まあ、何がそんなにおかしいの」

扶代も思わず笑いながらいった。

「ああおかしい。おかしくておかしくて」

黙って章子は、デザートのプリンの器をかたづけはじめた。が、香也子の笑いに不快になっているのは、かすかにひそめた眉根でわかる。その章子の顔を見ながら、香也子はもう一度笑った。

「まあ香也ちゃんったら。金井さんが何かおかしなことでもおっしゃった?」

「いいえ」

不意に笑いのない声になった。

「じゃ、何がおかしいの、香也ちゃん」

「聞きたい？」

「聞きたいですよ、そりゃあ」

おだやかに扶代は香也子を見た。

「じゃいうけど、あんまり小母（おば）さんも章子さんも、楽しそうだったからよ」

盆にのせて食器をキッチンに運ぼうとした章子が立ちどまった。が、そのまま運んで行く。

「あら、わたしたちが楽しそうにしているのが、そんなにおかしかったの。どうして？」

「そりゃおかしいわよ」

香也子はソファーにすわって、足を大きく組む。白いパンタロンをはいた足が長い。その足首を動かしながら、香也子は探るように、もどってきた章子の顔を見た。

「どうして、楽しそうにしていたらおかしいのかねえ、章子」

章子はちらっと香也子を見た。

「嫉いてるのよ。それだけよ」

と、冷たくいった。もう香也子のでたらめさ加減は試験ずみだ。金井にキスを迫ったくせに、金井がキスを迫ったと、香也子は前にいっていた。だが小山田整は、その現場を見ていて、それが香也子のでたらめであることを証明してくれたのだ。すでに身も心も結ばれた章子としては、再び香也子のでたらめに一喜一憂する気はなかった。

「嫉いている？　そう見える？」

香也子は小首を傾げた。ふだんならすぐに怒りをあらわす香也子の顔に、今日はふしぎになんの変化もなかった。

「見えるわ。香也子さん、あなた嫉いているから、あんなにゲラゲラ笑ったんでしょう」

「章子、そんなことをいってはいけませんよ」

「いいのよ、小母さん、いわせてあげなさいよ。嫉いてると思われても、わたしはいいのよ。あんな男とでも、けっこう幸せになれるのかと思ったら、わたしおかしくてしかたないんだから」

パンタロンのポケットから、香也子は何やらごわごわとした紙きれを出した。

八

軌　跡

ポケットから出した紙片を、香也子はゆっくりとひろげた。扶代と章子は、その紙片を見守った。

「これ、なんだかわかる?」

せせら笑うような調子で香也子はいい、章子の前に突きつけるようにおいた。章子は顔をそむけて外を見た。水銀灯に照らしだされた庭の芝生が青く美しかった。が、植物というより、ビニールでつくった芝生のような生気のない美しさだ。

顔をそむけている章子を、香也子は腕を組んで、楽しむように眺めている。章子は、水銀灯にむらがる蛾や羽虫の、絶え間ない動きに目をやりながら、香也子の挑発には乗るまいと警戒していた。

二人の様子を見ていた扶代が、手を伸ばして、その紙片を取った。

「角口重蔵?」

と読みあげて、扶代はけげんな顔を香也子に向けた。

「そう、角口重蔵(かどぐちじゅうぞう)っていうのよ」

扶代と章子を等分に見てから、ソファーの背に、香也子はぐっと胸をそらせた。

「どこのかた？　角口重蔵さんって」

「章子さん、章子さんならわかるわね。この人が誰か」

「わからないわ」

章子は庭に目を向けたままだ。が、心の中でふっとひっかかるものを感じた。

「わからない？　そう。小母さん、これはね、タクシーの運転手さんの名前なの」

「タクシーの？」

「そうよ」

楽しむように、香也子はじっと章子の反応を見つめた。

香也子は、章子が金井と山に行くと聞いた時、ハイヤー会社を調べることを思いついたのだ。

章子は金井と一泊か二泊してくるといった。章子は幸せそうだった。はじめ香也子は、一緒に登山するといいだした。むろん登山する気はなかった。ただ、とにかくそういってみたかったのだ。

その時章子は、困惑したような表情を見せた。たぶん、金井と二人っきりの夜を楽しもうとしているのだろうと、香也子は見当をつけた。その時香也子は、心に決めたのだ。

（神居古潭（かむいこたん）から、この橋宮（はしみや）の家まで、自分を乗せた運転手を、なんとしてでも探すわ）

と。

たぶん章子は、金井に身も心もゆるして、幸せに浸りきって帰ってくるにちがいない。その幸せを、なんとか突きくずさなければ、香也子の心はおさまらなかった。章子は頭から、金井と自分が神居古潭にドライブしたことを否定している。だが、確かに、金井は自分を誘い、そして唇を求めたのだ。

金井は、神居古潭に行ったことなどないと、しらを切った。なぜしらを切ったか。心に咎めることをしたからだ。もし二人が、神居古潭にドライブしたことを証拠だてるものがあれば、金井の嘘は明らかになる。金井の嘘は、つまりは章子への裏切りだ。その金井の裏切りを知る時機としていちばんいいのは、章子が体をゆるした直後がいいと、香也子は計算したのだった。

章子が金井と山に出かけた日、香也子はさっそく、いつも使っているハイヤー会社に電話をした。なじみの配車係の声がした。

「あのう……わたし、ちょっと相談があるの。実はね、お宅の会社じゃないんだけど、何月何日に神居古潭からわたしの家まで乗せたっていうこと、日計表で調べていただけるものかしら」

たぶん、そんな面倒なことを、忙しいハイヤー会社は、相手にしてくれないのではないかと、危ぶみながら香也子は聞いてみた。と思いがけなく配車係はいとも簡単にいった。

「ああ、調べますよ。ときどきね、家の娘が家出したからとか、会社の金を持ちだして逃げたのがいるからとかって、いろんな調べがきますからねえ。どこのハイヤー会社でも調べてくれるはずですよ」

その答えに勇気を得て、香也子はさっそく市内中のハイヤー会社に電話をした。

「あのう、お宅の会社かどうかわからないんですけど、七月十二日の夜九時半ごろ、神居古潭から高砂台まで、二十ぐらいの女を乗せた運転手さんがいたら、教えてほしいんです。この運転手さんがわからないと、一生がメチャメチャになるかもしれないんです」

どの会社も、面倒がらずに調べることを引き受けてくれた。翌日またこちらから電話をかける約束をして、香也子は次の日を待った。その電話をかけるだけで、ほとんど半日はつぶれた。自宅の電話番号を知らせなかったのは、誰にも知られずに事を運びたかったからだ。万一扶代に電話にでも出られては、香也子の計画は先に知られてしまう。香也子は自分の手で、章子ののどもとに白刃を突きつけてみたかったのだ。

翌日午後、香也子はまた、一軒一軒、ハイヤー会社に電話をした。最初の会社も、次の会社も該当者はいなかった。五軒、七軒、十軒と、むなしい返事が返るばかりだ。公衆電話のボックスに突っ立ったまま、電話番号簿でいちいち番号を確認しながらかけることは、楽な仕事ではなかった。あまり長くかけていては、外に人が待つ。幾度か場所を変え、やっと十六軒めに、自分を乗せた運転手を探し当てたのだ。

それが角口重蔵という運転手だった。香也子はすぐに、角口運転手の車を呼んだ。だが角口運転手はその日あけ番で、翌日ようやく会うことができた。

香也子は角口運転手の車に乗って、さっそく尋ねた。

「わたしが神居古潭で乗ったこと、覚えていらっしゃる」

「覚えていますとも。あんな暗い道で、女の子に手をあげられることは、あまりありませんからねえ。なんとなく、夜の女客はギョッとするんですよ」

角口運転手は、そのがっしりとした肩を見せて、気軽に答えた。

「実はね、わたし、自分があそこで載った証拠を、ある人にはっきりいわなければならないの。でないと、わたしの一生がメチャメチャになるの」

香也子は切迫したようにいった。

「心配はいりませんよ。どこへでも出て、いってあげますよ」

「うれしいわ。じゃ、あの晩、わたしが何をいったかご存じ?」

「むろん、知ってますよ。なんだか興奮していて、英語ぐらいうまくたって、なんにもならない。失礼な男だとかなんとか、そんなことといってましたね」

「ありがと、よく覚えててくれたわ。それをはっきりいってほしいのよ。わたしの降りたところは知ってて？」

「忘れませんよ。高砂台でいちばん大きな家ですからね、あそこは」

こうして香也子は、角口運転手に再び送ってもらったのだった。つまりそれは昨日のことになる。香也子は、手ぐすね引いて、章子を待っていたのだ。

はたして金井と章子は、幸せそうに帰ってきた。幸せそうであればあるだけ、香也子にはそのあとが楽しみだった。

「角口重蔵さんか」

ゆっくりと、香也子が角口運転手の名を呼んだ時、章子がまっすぐに香也子を見ていった。

「またでたらめね、香也子さん」

感情を抑えた声だった。

九

軌跡

香也子はゆっくりと、章子を見返した。章子が自分のひとことによって、どんな運命を辿るかを、香也子も知らないわけではなかった。否、自分のひとことによって、章子が大きなショックを受けるであろうことは、容易に想像できた。想像できたからこそ香也子はすべてを準備して待っていたのだ。

章子は香也子にとって、はじめから赤の他人であった。そして邪魔者であった。と同時に母親に愛されている憎むべき存在でもあった。実の母の保子が家を出て、幼くして母に置き去りにされた香也子にとって、扶代と章子の存在は、許し難い存在だったのだ。

そのうえ、章子がおとなしいことも香也子には腹だたしかった。いつもひっそりと、扶代の背にかくれているような、そんな章子が嫌いだった。香也子が何かいえば、涙ぐむだけの、そんな章子が嫌いだった。香也子が自由に遊びまわっている時に、章子が洗濯や掃除の手伝いなどをしていることも嫌いだった。誰もが章子をほめた。そうした十年間の恨みが、香也子の胸の中に積もっている。

しかも章子は、香也子よりも先に結婚の相手が決まった。章子より香也子のほうが、容貌は優っている。容貌の優れている者のほうがさきに結婚すると思っていた香也子には、そのこともまた腹だたしかった。

香也子は、角口運転手の名をかいた紙を章子の前に置いていった。

「章子さん、わたしがでたらめか、金井さんがでたらめか、大三ハイヤーのこの人に、電話をして聞いてみたらいいわ」

「大三ハイヤー？」

思わず章子が聞き返した。

「そうよ。大三ハイヤーの角口さんよ。七月十二日、わたしを神居古潭から乗せたかどうか。その時わたしがどんな話をしていたか、詳しく聞くといいわ。なんなら、どんな男が近くにいたか、金井さんの写真でも持って行って聞いてみるといいわ」

章子は目を伏せた。が、黙って、角口運転手の名を書いた紙を四つにたたんで立ちあがった。

「香也子さん、ご親切にいろいろありがとう」

「そうよ。わたしは親切なのよ。あなたたち調べるなんていいながら、調べないから、わたしが調べてあげたのよ。この暑いのに、旭川じゅうのハイヤー会社に電話をしてあげたのよ。金井さんがどのくらいでたらめな人か、章子さん、結婚前に知っておいたほうがいいでしょう。結婚してからじゃ遅いもの」

章子の顔は青ざめていた。不安げに立ちあがった扶代に、香也子はいった。

「小母さん、わたしがさっきゲラゲラ笑ったの、やきもちなんかじゃないわよ。金井さんのようなでたらめな人と、楽しそうにしてるのが本当におかしかったのよ」

章子は電話を切り替えて、二階の自分の部屋にあがって行った。扶代は香也子をふり返っていった。

「香也子さん、章子がもしショックで……どうにかなったら……」

「そんなことわたしは知らないわよ。わたしは真実を教えてあげるだけよ。金井さんは私と神居古潭に行かなかったといい、わたしは行ったという。ただそれだけよ」

「…………」

「なぜ金井さんは行かなかったといったか。ね、わかるでしょ。わたしを手ごめにしようとしたからよ」

くるりとふり返って、香也子はテレビのスイッチをいれた。白い裸馬が緑の野を遠くから駆けてくる。香也子はソファーに引っくり返って、それを眺めはじめた。

十

章子は自分の部屋にはいって、畳の上にすわりこんだ。

(香也子さんが、神居古潭に行ったとしても……)

確かにその日、香也子は神居古潭に行ったかもしれない。しかし、必ずしも金井と行ったとは限らない。金井はあんなにはっきりと、幾度も否定していた。章子は金井を信じていた。香也子の言葉よりも、金井の言葉のほうが信じられる。にもかかわらず、なぜか不安なのだ。

(もし、金井さんが一緒だとしたら……)

金井はなぜ、行かなかったといったのだろう。香也子のいうとおり、金井は香也子にけしからぬふるまいに出たことになる。

(そんなことはないわ)

この三晩、自分を抱いた金井の姿が、ありありと目に映る。同じことを香也子にしようとしたのだろうか。

(そんなこと、あるはずがないわ。金井さんに限って)

そう思いながらまた、不安がひたひたと寄せてくる。

章子は運転手の名を書いた紙片をじっと見つめた。香也子が一人で行っただけかもしれないのだ。香也子の言葉に乗せられてはならない。そう思いながらも、章子は電話帳をひらいて、大三ハイヤーの番号を目で追っていた。

大三ハイヤーの番号はすぐにわかった。章子は、ちょっと考えてからダイヤルを回した。

「あのう、角口さんという方は、いらっしゃいますか」

「角口ですか。今日は非番ですよ」

「あのう……お宅にお電話はあるんでしょうか」

「電話ねえ、ちょっと待ってくださいよ」

気さくに答えて、すぐに角口運転手の電話番号を、配車係は伝えてくれた。章子はその番号を書き取って、時計を見た。まだ九時少し前だ。明日早番だとしても、起きているにちがいない。

電話をかけようか、かけまいかとためらいながらも、やはり章子はかけずにはいられなかった。

角口重蔵は起きていた。

「ああ、神居古潭の件ですか。よく知っていますよ」

「あのう、女の人は一人で乗ったんですか」

「ああ、一人でしたよ。でも、すぐそばに、確か白っぽい車があって、開襟シャツを着た男が立ってましたがねえ」

（白い車……開襟シャツ……）

それは確かに金井を思わせる。軽いめまいを感じながら、章子はいった。

「あの……乗った女の人は、どんなお話をしてましたか」

「なんだか、ひどく興奮してましてね。英語ができたってなんにもならないとか、ひどいことをするとかいってましたよ。何か男に妙なことをされかけたようでしたねえ」

なんと答えて電話を切ったか、章子は覚えていない。

（やっぱり……）

不安は、まさしく現実となったのだ。まさかと思った香也子の言葉が、真実だったのだ。章子はゆらゆらと首を横にふった。なぜ金井は、そんなことを香也子にしようとしたのか。なぜ自分に嘘をいったのか。章子はくり返しくり返し同じことを思った。金井と結婚しようとしたからこそ、章子は金井に身を任せた。そしてどんなことがあろうと、金井と一生をともにしようと思って帰ってきたのだ。金井の愛撫は、金井の愛の証だと信じていた。

不意に章子は、今日の言動を思った。金井はあたかも、大雪山を縦走したかのように、言葉巧みに語っていた。石室が登山客でぎっしりだったとか、黒岳で、夜、熊の咆哮を聞いたとか、金井は鮮やかな嘘をついた。そんなことが、いま、章子の前に重大な意味をもって迫った。

（あの人は……そんな人だったのか）

おそらく、金井はまだまだ多くの嘘をついているにちがいない。

「君がはじめてだ」

そういって、章子を抱きすくめた最初の夜の言葉さえ、章子は信じられない気がした。信じていたからこそ、身を委せたのだ。それが裏切られたと知ったいま、章子は全身から力がぬけて行くのを感じた。

章子は金井に電話をかけた。章子の声に、金井の声が弾んだ。

「ああ章子、どうしたの。元気ないね」

「金井さん、あなた、七月十二日の夜、やっぱり神居古潭にいらしたのね」

「神居古潭？　なあんだ、まだそんなことをいってるの。またあのジャジャ馬娘に、掻きまわされたんでしょう。ぼくを信じていてください。安心をして」

なんのかげりもない金井の声に、章子は黙って受話器を置いた。深いむなしさが章子を襲った。

軌　跡

変貌

変　貌

一

ゲラゲラと笑う声がする。扶代は、香也子の声だと思いながら聞いていた。と、そのうちに、その笑い声が男の声に変わった。

（あら、香也ちゃんの声が、男の声になった）

扶代はハッと目を覚ました。

家の中はしんとしている。が、夜はもう明けていた。枕もとの時計を見ると六時近い。扶代はいつも五時に目を覚ます。昨夜なんとなく寝つかれず、眠りにはいったのが二時を過ぎていた。

いつもは隣に寝ている容一が、今日はいない。急に稚内方面に出張したのだ。いまの笑い声は、その容一の声だったような気もする。香也子の声だと思って聞いていたのが容一の声に変わった。そのことが扶代の心を暗くさせた。

（いやだわ……）

夢の中の出来事だとわかっていても、扶代の心は重かった。

やはり昨夜の香也子の言葉が気になっているのだ。香也子は、わざわざ香也子を乗せたタクシーの運転手を探しだした。香也子としては、なんとしてでもそうしたかったのかもしれない。が、あまりに章子に残酷ではなかったかと、扶代は昨夜の章子の青ざめた顔を思った。

章子はたぶん、金井(かない)に体を許したにちがいない。その金井の裏切りを、香也子はさっそく刃のように突きつけたのだ。

(金井さんも金井さんだわ)

香也子と神居古潭(かむいこたん)に行ったのなら行ったで、なぜそうと最初からはっきりいってくれなかったのか。まさか金井が、そこで香也子を求めたとは考えたくはない。ただ、香也子とドライブしたことがうしろめたくて嘘をいったのだろうと、扶代は考えたかった。そのぐらいの嘘は誰もついてきているものだ。嘘ひとついわず真正直に生きている人間など、この世にはいない。生きているかぎり、人間は嘘をついているともいえる。

(今日、金井さんに電話してみようかしら)

それとも、香也子の言葉は聞き流して、知らぬふりをしておいたほうがよいか。

(そうだわ、聞き流しにしておいたほうがいいんだわ)

章子にも、そのぐらいの嘘は、咎めだてするほどのことではないと、いって聞かせようと扶代は心に決めた。

表のほうでトニーの吠えたてる声がする。新聞配達がきたのだろう。

厚い緑のカーテンをあけると、朝日がさっと部屋の中にさしこんだ。この瞬間が一日の中で扶代の最もさわやかな瞬間だ。いかにも新しい一日が始まるという感じがする。だが今日はちがう。心が重いのだ。

お手伝いの絹子（きぬこ）が起きだしたのか、階下でガタゴトと音がした。章子ももう起きているにちがいない。夜具をかたづけ、身支度をすると、扶代は階下に降りて行った。

白いエプロンをかけながら、絹子が小さくあくびをしていた。

「お早うございます。昨夜はなんだか寝苦しかったですわねえ」

「ほんとにねえ。絹ちゃんも寝苦しかった？」

自分だけが寝苦しい夜だったのかと、扶代は思っていたのだ。

「ええ、寝そびれて、今朝は寝坊してしまいました」

絹子はまたあくびをした。

「章子は？」

「まだおやすみじゃないですか」

「珍しいわね、章子がまだ起きないなんて」

「そりゃあ、登山の疲れが出ますからね。たまには寝坊なさらなければ」

絹子は洗面所に行った。それもそうだと思いながら、扶代はテーブルの上にある新聞をマガジンラックに入れた。扶代は朝早くから新聞を読むようなことはしない。一日が新聞を読むことから始まるような生活は、働き者の扶代には、なじめないことだった。

「無理もないわ」

扶代は章子のことを考えている。昨夜は章子もなかなか寝つかれなかったにちがいない。香也子の言葉が胸に刺さって眠るにも眠れなかったのだろう。今日ぐらいゆっくりさせてやりたい。

扶代は絹子と入れ替わりに洗面所にはいった。歯を磨きながら、見るともなしに鏡に写る自分の顔を扶代は見、少し老けたように思った。目尻のしわが深くなったようだ。扶代は鏡に顔を近づけて見た。

若いころとちがって、これからはただ若さを失って行く自分を鏡に見るばかりなのだ。しわが増え、肌が衰え、やがては白髪がめだつようになるかもしれない。自分がもう若くはないのだという宣告を、日々鏡に見る生活、それがこれからの生活なのだ。おそらく、鏡からだけでなく日常の生活の中でも、徐々に体の衰えを知らされて行くにちがいない。四十代はともかく、五十代、六十代ともなれば、さらに日々自分の衰えを知らされなければならないだろう。

そうしたことに対抗するため、これからが自分の精神力を強めるときでなければならないと、扶代はこのごろ考えている。だが寝不足の今朝は、その精神力も衰えて、疲れた体は心までが沈んでしまう。

扶代は水道の栓をひねった。冷たい水がほとばしり出た。旭川の水は真夏でも冷たい。その冷たい水で顔を洗いながら、扶代はふと、容一ももう起き出したころだと思った。どこの宿の、どんな部屋に泊まったかは知らないが、容一は旅に出ても朝は早い。扶代をつれて佐渡（さど）に行ったときも、扶代より朝が早かった。

「奥さん」

タオルで顔を拭いていると、絹子が洗面所にはいってきた。

「なあに？」

ふり返ったとき、絹子は何を思ったのか、

「いえ、なんでもありません」

と、そのまま出て行った。扶代は気にもとめずに髪をとかしはじめた。

扶代と絹子が食事を始めるころになっても、章子は降りてこない。香也子が八時にならなければ起きないのはいつものことだが、章子がいまじぶんまで寝ているのは珍しい。

変貌

「よっぽどお疲れになったんですね」

　絹子も同じ思いのようで、そんなことをいった。疲労よりも、寝つけなかったのだろうと思いながら、

「三日も四日も山にいれば、疲れるわねえ」

　と、扶代は相づちを打った。

　パジャマのまま香也子が降りてきたのは、八時十分前だった。いつもは八時過ぎなのだ。

「あら、お早うございます。今朝はお早いですね」

　絹子の言葉に、

「昨夜はぐっすり眠ったからよ」

　香也子は機嫌のよい顔を、扶代と絹子に向けた。

(昨夜はぐっすり眠った……)

　その言葉に、香也子という娘の非情さを、あらためて突きつけられたような気がした。自分や章子は眠れなかったというのに、この娘はぐっすり眠ったというのだ。

「あら、章子さんはもうどこかへ出かけたの」

　香也子は顔も洗わずにソファーにすわり、マガジンラックから朝刊を出した。扶代も絹子もそれには答えずにキッチンに立った。

「相変わらず交通事故が多いわね」

気にもとめずに、香也子はいう。

「毎日毎日、交通事故のニュースばっかり。おもしろくもおかしくもないわ」

「そうですか。でも、事故に遭った人たちは大変でしょうね」

いいながら、絹子はテーブルに、トマトサラダや、トーストを運んできた。

「もしこの交通事故がなかったら、どんなこと書くつもりなのかしら」

香也子はつまらなそうに、新聞を四つに折って洗面所のほうに行った。

「交通事故のことがなければ、香也子さんの悪口でも書きますよね」

絹子は小さな声で、独りごとをいった。扶代が聞き咎めて、

「絹ちゃん、そんなこと……」

とたしなめた。絹子はちょっと舌を出して、

「だって、ほんとうですよ、奥さん」

絹子は香也子より章子のほうがずっと好きだ。章子は掃除でも料理でもどしどし手伝ってくれる。香也子は自分の食べ終わった食器をさげることさえ、滅多にない。

パジャマ姿のまま、朝食を終えた香也子が、二階へあがってしまっても、章子はまだ降りてこなかった。

「どうしたんでしょうねえ、章子さん」

そう絹子がいったときは、もう十時を過ぎていた。昨晩一晩中眠られずに、今朝五時ごろ眠ったとして、まだ五時間しか眠っていない。昼までぐっすり眠らせておこうと、扶代は思った。その扶代に、

「眠たいのよ、きっと。奥さん、今日は寝たいだけ寝かせてあげましょうよ」

絹子がいって洗濯をはじめた。

二

十二時を過ぎて、扶代はようやく二階の章子の部屋に行った。ノックをしたが返事がない。戸をそっとあけて、ハッと扶代は立ちすくんだ。

章子はいなかった。部屋はきれいにかたづけられている。扶代は全身から血がぬけていくようであった。

「章子！」

章子のいない部屋に突っ立って、扶代はふるえ声で章子の名を呼んだ。

「章子！　章子！」

廊下に出て扶代は叫んだ。二階のトイレにも、他の部屋にもいない。階下にいる香也子と絹子に向って、扶代は叫んだ。

「章子がいないのよ、章子が！」

「えっ!?　章子さんが？」

階段の下で絹子の驚く声がした。くずおれそうな足を踏みしめて、扶代は一歩一歩階段を降りて行った。

階下に降りると、香也子がハンバーグにナイフを入れながら、

「章子さんがどうしたって？」

とニヤニヤした。

「いないのよ、いないのよ、章子が！」

扶代の顔は蒼白だった。

扶代にとって、章子はただ一人の娘であった。章子がいるからこそ、橋宮容一と再婚したのだ。章子の幸せをねがって扶代は再婚したのだ。章子の幸せのためを思って、いままで我慢してきたのだ。

「いやな小母さん。顔がまっ青よ」

「だって章子が……」

「いなくたって、驚くことないわよ。その辺を散歩してることだってあるじゃないの」

香也子はハンバーグを口に入れた。

「散歩？」

扶代はくたくたと椅子の上にくずおれた。が、

「散歩なんかじゃないわよ、香也ちゃん」

きっとして扶代は香也子を見た。

「散歩じゃないって？」

香也子はうまそうにレタスの葉をばりばり食べる。

「わたしが起きたのは六時前ですよ。それからいままで、章子は一度も二階から降りてこないのよ。章子がいなくなったのは、わたしの起きる前よ。そんな朝早くから、散歩するわけはないでしょ」

「そうねえ、散歩にしちゃ長いわね。とすると、ふらっと旅にでも出かけたのかな」

香也子は両手に持ったフォークとナイフを、少しも休めずにいう。

「香也子ちゃん、これは家出よ、きっと」

扶代は香也子を見据えた。

「あら、家出？　へえー。どうして家出だってわかるの」

扶代は唇がふるえた。香也子には、家を出た章子の気持ちも、その章子の身の上を案ずる自分の気持ちも、少しもわかってはいないのだ。

「あなたが家出させたんですよ、香也子ちゃん！」

扶代は、この家にきてはじめて、こんな鋭い言葉を香也子に吐いた。扶代は鋭い言葉を吐くことのできない女だったのだ。

「へえー、わたしが家出させたって？　それ、どういうことよ、小母さん」

「あなたが……神居古潭の話なんかもちだしたからですよ」

「あら、じゃ、あれはいわなかったほうがよかったの。金井さんがわたしに何をしようが、わたしは知らんふりをして、二人が結婚するのを見ていたらよかったというの？」

「いうにも時があります」

「時がねえ。だからわたし、ずっとせんに、章子さんにいってあげたのよ。小母さんだって聞いたじゃない？　でも、二人ともわたしを信用しなかったでしょ。絹ちゃーん、デザートに、何かない」

香也子はハンバーグをぺろりとたいらげ、コンソメスープを飲み、ご飯を一膳食べた。そのうえデザートまでたっぷり食べるらしい。香也子の食欲は、章子が家出しようがしまいが、変わるところがないのだ。

「……だからといって、なにも昨日……あんなにいわなくても」

「昨日でなぜ悪かったのよ」

「せっかく楽しい四日間を過ごしてきたというのに……」

「小母さん、断っておきますがね、あの人は、金井さんの正体を知って失望したのよ。金井さんの正体を知らせてあげたのはわたしだけど、章子さんを失望させる正体を持っていた金井さんのほうが悪いのよ」

絹子が運んできた紫色の大粒のブドウを、その赤い口にいれながらいった。扶代は黙って香也子を見つめた。

「ねえ、小母さん。それともわたしが何もいわなかったほうがいいというの。金井さんの正体は、見て見ぬふりをして、結婚させたほうがいいというの。絹ちゃーん、おいしいブドウね、これ。どこのブドウ?」

香也子はいささかも自分の言動を悔いるふうもなく、章子の家出に驚くふうもなかった。

「………」

「わたしなら、相手の正体がわかったからって、いちいち家出なんかしないわよ。第一、そもそもは章子さんが悪いのよ」

「章子が?」

「そうよ。あんなつまらない男を好きになった章子さんが、よっぽど悪いのよ」

「まあ!」

「そして小母さんだって悪いのよ。小母さん、親じゃない? 少しは世間を見てるんでしょ。金井さんがどんな人だか、わかんなかったの」

「………」

「金井さんはね、神居古潭でわたしに、章子さんより好きだっていったのよ。章子さんとわたしは、いってみればきょうだいでしょ。血がつながっていなくてもね。金井さんって、姉と婚約しながら、その妹を誘惑するような男よ」

香也子はじっとうつむいている扶代を眺めながら、ブドウの種を皿に吐き出す。

「ね、小母さん、いかにもわたしが家出させたようなこと、いわないでね。妙な男に引っかかった章子さんや小母さんのほうが悪かったって、考えなおしてほしいわ」

そのとき電話が鳴った。電話は香也子のいる傍にある。が、香也子は出ようとしない。扶代が立ちあがった。電話が執拗に鳴りつづける。立ちあがった扶代を見て、香也子はゆっくりと受話器を取った。

「警察ですって?」

香也子は扶代の顔を見た。

変　貌

三

「警察!?」

扶代はあわてて、香也子の持っていた受話器を取った。若い警官の声が耳に飛びこんできた。

「お宅は橋宮容一さんのお宅ですね」

「さようでございます」

何事が起こったのかと、扶代の胸は高鳴った。早朝に章子が家を出ている。

（もしや章子が……）

章子の鉄道に飛びこんだ姿、川に浮かんでいる姿が目にちらつく。

「実はですね、名寄（なよろ）の少し向こうで、お宅のご夫妻が交通事故に遭いましてね」

（ご夫妻!?）

扶代は聞きちがったのかと思った。容一は一人で出かけたのだ。妻の自分はここにいる。

「あの……」

いいよどむ扶代に、警官はいった。

「いや、たいしたご心配は要りません。奥さんが少し胸を打ちましたが、十日も入院すれば大丈夫です。ご主人のほうはたいしたことはありません」

(奥さんのほうは?……)

警官は明確に奥さんといった。警官は事故の様子を教えてくれたが、扶代はよくは聞いていなかった。電話が終わった時に扶代が覚えていたのは、要するに橋宮夫妻が軽傷で名寄(なよろ)市立病院に入院したということだけだった。

「どうしたのよ、警察からだなんて?」

さすがの香也子も気になるようだった。扶代は黙って庭の芝生に目をやった。

「章子さんがどうかしたの」

「いいえ、お父さんが交通事故ですって」

「ええっ?」

香也子はソファーから立ちあがった。

「ほんと? 小母さん。で、パパは死んだの」

「…………」

扶代は黙って香也子の顔を見た。

「死んだの!?」

香也子の声がうわずった。

「いいえ、ほんのかすり傷よ」

扶代の片頰に、皮肉な微笑が浮かんだ。何日かすれば、容一の傷はなおるだろう。が、いま自分の受けた心の深い傷は、決してなおることはないだろう。容一が女をつれて、稚内まで行ったのだ。そしてその帰りに交通事故に遭い、容一はその女を妻だと嘘をついたのだ。たぶん軽傷だから、その場逃れの嘘をいったのだろう。扶代の目に、保子（やすこ）の白い顔が浮かんだ。

（妻は妻でも……）

元の妻だ。扶代は再び口を歪めた。はたして同行の女が保子かどうかはわからない。が、扶代は直感でそれが保子だと断定した。

「ああよかった。かすり傷なの。かすり傷ぐらいで警察から電話がくるの」

（あなたのお母さんも……）

いおうとした言葉を、さすがに扶代はのみこんだ。のみこんだが、それだけ香也子親子に対するいいようのない怒りが、扶代の胸にひろがった。香也子は昨夜、章子に深い絶望を与えた。そのために、かわいい章子はどこかに出て行ってしまったのだ。そしていま、香也子の母の保子が、夫とともに一泊旅行に出かけた。親子でこの自分を苦しめるのかと、いままで耐えてきた思いが、一度に噴き出す思いだった。

「じゃ、すぐに病院に行かなくちゃ。ね、小母さん」

「…………」

「小母さん、すぐ行くんでしょう。わたしもすぐ行くわ」

「わたしは行きませんよ」

「まあ！　パパが怪我をしたのよ。どうして行かないの？」

「だって軽傷ですもの」

「まあ！　ずいぶん冷たいのねえ。驚いたわ。じゃ、わたし行ってくる」

「行くのはご自由ですけど」

「変ねえ、そのいい方。まるで行っちゃ悪いみたい」

「行かないほうが、お父さんも喜ぶでしょう」

「ますますわからないわ。とにかく、凄く冷たいのね、小母さんって」

「ええ、香也ちゃんほど冷たくはないけど」

「まあ！　それどういうこと」

「さあ、どういうことでしょう」

扶代は章子を思った。数日で退院できる容一に、命の心配はない。が、家出した章子は、思いつめて自殺しないともかぎらないのだ。第一、「夫妻で入院した」容一のところに自分が現れては、容一も困るだろう。扶代はいま、自分が思いがけなく変貌していくのを感じていた。この家に嫁いで以来、扶代は章子かわいさに、香也子のわがままにも耐えてきた。むろん、扶代生来のおだやかな性格もあった。だがいま、突如として、章子の家出と、「橋宮夫妻」の交通事故に直面して、扶代は自分でも知らなかったもう一人の自分が、頭をもたげてきたことに気がついたのだ。

その扶代の様子を、香也子がじっと見つめていた。香也子にとって扶代は、くみしやすい女のはずだった。香也子の言葉に、扶代が反対することなどほとんどなかった。いや、扶代という女は、父の容一に対しても、章子に対しても、お手伝いの絹子に対しても、拒絶ということを知らぬ女だと思っていた。その扶代が、夫の容一の交通事故に、見舞いに行こうともせず、じっと庭を眺めている姿は、あまりにも意外な姿であった。

だが香也子は、扶代の心の中に何が起こったかをまだ知らない。

「じゃあ小母さん、わたし一人でお父さんのところへ行ってくるわ。そしていってやるわ。いくら見舞いに行こうといっても、小母さんはいやだといったって」

扶代はソファーに戻って、静かにすわった。が、顔をあげて香也子を真正面から見ると、

「香也子さん、あなたは行かないほうがいいわ。それよりも章子を探してちょうだい。お父

さんより章子のほうが一大事よ」

扶代の言葉にやさしさはなかった。

「章子さんを？　子供じゃないんだもの、なにもばたばた騒ぐことはないわよ。それよりお父さんは怪我をしたんでしょ。たとえ僅かの入院でも」

さっと立ちあがると、香也子は足音も荒々しく二階に駆けあがって行った。

変　貌

四

西島広之（にしじまひろゆき）は、恵理子の部屋でギターを弾いていた。明るい声でフォークソングを口ずさみながら、ときおり西島は恵理子の目をのぞきこむようにして、ギターをかき鳴らす。

歌を聴きながら、恵理子は内心気が気でない。保子は昨日、豊富（とよとみ）温泉で高校時代のクラス会があるといって出かけて行った。遅くとも今日の夕食までには帰ってくるといっていた。それが、もう八時近くになるというのに、まだ帰らないのだ。電話でもくるかと思いながら、恵理子は階下の電話に注意を払っていた。時どき窓の外にも目をやる。が、木工団地の水銀灯が、暗い小川に青い光を映しているだけだ。虫のすだく声が窓から聞こえてくるのも、なにか不安をかきたてる。

「ねえ、恵理子さん」

西島はギターを横においた。

「なあに?」

なんとなく恵理子はドギマギした。

「なんだか落ちつかないみたいだね、今夜は」

「ごめんなさい。母の帰りがちょっと遅いものですから」

　恵理子は保子の言葉を告げた。

「君はやさしいんですねえ。お母さん思いだなあ」

「ううん、そうじゃないの。母って、危なっかしくって、なんだか見ていられないところがあるの。しかも、旅行なんてめったにしたことがないんですもの」

「大丈夫ですよ。……汽車で行ったの？」

「だと思うの。でも、車にするかもしれないなんて、ちらっといってたけれど」

「そうですか。まあめったなことはないと思いますけれどね。何かあったら、家に知らせてきますよ」

「それもそうね」

　家の傍の電柱の外灯に、小さな羽虫や白い蛾が集まっているのを心もとなく眺めながら、恵理子はうなずいた。

「恵理子さん、ぼくたちも今度どこかへ行きましょうか」

「どこか？」

「うん、十勝岳（とかちだけ）とか層雲峡（そううんきょう）とかさ。どうせ日帰りだから、遠いところへは行けないけど」

「そうね、行ってみたいわ」

西島と恵理子は、まだどこかにドライブしたということはない。この近所を歩いたり、街や公園を歩いたりするくらいで、遠出はしない。第一、西島は車を持っていない。西島は車を乗りまわすよりも、歩くほうが思索や感受性を育ててくれるというのだ。家具デザイナーの西島は、ふつうの勤め人のように、朝から晩まで会社に詰めてはいない。むろん、机に向かっていることはほとんどない。画廊に行って絵を見たり、映画を見たり、好きな景色を眺めていたりすることだってある。そんな時、ひょいといいアイディアが浮かぶという。社長がデザイナーを大切にする人で、そうしたあり方をむしろすすめてくれるというのだ。喫茶店に行って、じっとレコードを聴いていることだってある。

だがそのかわり、月にいくつかのデザインは生み出さなければならない。しかもそれは確実に売れなければならないのだ。遊んでいるように見えて、遊んではいない。感覚や感受性を育てながら、つねに新しい作品に取り組んでいるのだ。

「実はね……鈴村(すずむら)の妹がね、また遊びにきたいっていうんですよ。鈴村の病気は、ふしぎにまた落ちついてきているらしいんです」

「…………」

恵理子の胸が疼(うず)いた。

「その時、ぼくはあなたを彼女に紹介したいと思うんですよ。このひとがぼくのお嫁さんになるひとだって」

「まあ！　そんな……」

「いけませんか」

西島の瞳が、若者らしい激しさを見せた。

「……だって、その方は西島さんを好きなんでしょう。そんな残酷なことを……」

「残酷？　しかし時には残酷ということが、人間には必要なんですよ」

「でも……それは少し……」

「相手が納得しようとしない場合、やはり宣告ということは必要でしょう」

「でも、その方を傷つけるわ」

「傷つけないように、優しく、いたわり深く、というのがまちがいのもとですよ。ぼくはいままでそう思ってきた。よくいいますよね。君は嫌いじゃないんだ、しかし、結婚するには……なんて。でも、そんなことばかりいっては、結局はいけないんですよ。ぼくには好きな人がいるって、このあいだも手紙に書いてやったら、じゃそのひとに会わせてっていってきたんです。でも、ちっとも信用していないみたいで……」

西島はちょっと憂鬱そうな顔をした。親友の妹というのは、肉親に似て、むずかしい存在なのかもしれない。が、はたしてその人との過去に、心のゆらぐひとときが一度もなかったのだろうかと、恵理子はやや妬ましい思いになった。

とその時、階下で電話のベルが鳴った。ハッと恵理子は腰を浮かした。階下には祖母のツネがいる。ツネが電話を取ったらしく愛想のいい大きな声が聞こえる。

「恵理子、恵理子、整さんから電話だよ」

階段の下で呼ぶツネの声がした。西島がちらりと恵理子を見た。

「あら、整さんから?」

恵理子はいぶかしそうにいって、降りて行った。そのうしろ姿を、西島はやや不安気に見た。

「やあ、元気?」

いつものようにのんびりとした整の語調だった。

「元気よ。整さんは?」

恵理子も明るく答えた。

「という声の調子では……どうやらまだ知らないらしいね」

「知らないらしい?　なんのこと?」

ツネは居間の隣の自分の部屋で、『碧巌録』を読んでいた。茶と『碧巌録』は切っても切れぬ関わりがある。茶は宗教であると聞いてはいても、ツネには宗教心があるわけではない。

茶は好きだが、宗教は嫌いなのだ。が、それでは本当の茶の精神がわからない。だから『碧巌録』をときおり読んでみる。

「恵理子さん、いまねえ、これからぼくのいうことに、あまり驚いた声を出したり、おばあちゃんに電話の内容のわかるような返事はしないでくださいよ」

「え？」

恵理子は不審そうに聞き返した。

「つまりさ、おばあちゃんには、あまり知らせたくない話なんだよ」

何を整が告げようとしているのか、恵理子には皆目見当がつかない。が、とにかく隣室にいるツネに知られないように、電話を受けねばならないことだけはわかった。

「叔母さん、まだ帰ってないでしょう」

「ええ。あの……母が？」

思わず声が大きくなりそうになってから気づいて、

「母が何か？」

と、声を低めた。

「昨日、叔母さん、稚内のほうに行ったでしょ」

「ええ、それが？」

「たいしたことないんだけどね。いいかい、決して大きな声たてちゃいけないよ。実はね、軽い交通事故でね、名寄の市立病院に入院したんだよ」

「まあ！」

恵理子は隣の部屋をかえりみながら、受話器を耳に押し当てていた。

「どうして整さんが、それを？」

「それがさあ、車を運転していたのが、橋宮の叔父さんさ」

「えっ？　では……」

いいたい言葉を恵理子はのみこんだ。なるほどツネに聞かせてはならない事故なのだ。といって、知らせないわけにはいかない。硬貨を落とす音が時どき受話器の中に聞こえてくる。

「それで、整さんはいまどこに？」

「名寄の市立病院ですよ。叔母さんは、胸を強く打ったらしいけど、叔父さんは右手の骨に、ちょっとひびがはいった程度でね、まあどっちにしても、命に別状ないわけだけれど、問題は、二人が一緒だったということですよ」

「そうね」

「だから、そのことさえ隠しておけば、入院したことは、おばあちゃんに知らせてもいいと思うんだ」

「とにかくわたしも、これからそちらに行ってみるわ。着替えや何かも要ることだし、心配だから」

「そうしてくれるとありがたいね。それから、香也ちゃんがね、ここに来ているんだよ。だけど、叔母さんのことは内緒にするように、ぼくが病院にうまく頼んだんで、彼女はまだ知らないんだよ。香也ちゃんはつれて帰るつもりだけど、もし泊りがけで看病するなんていいだされると、君と顔を合わすことになるんでねえ。叔父さんをぼくの車で、旭川の病院に移そうかと思ってるんだけど……」

話を聞いているうちに、最初の交通事故というショッキングな出来事よりも、もっと多くの問題をはらんでいることに、恵理子は気づいた。

「いろいろとすみません。とにかくこれからわたし行きます。で、章子さんのお母さんは」

「それがまた一大事でね。実は今朝、章子さんが家出したんです」

「え!?　章子さんが?」

「香也子のじゃじゃ馬が、またくだらんいたずらをしてくれましてね。ま、そのことはまた後で。じゃ、おばあちゃんによろしく」

受話器を置いた恵理子は茫然とその場に立っていた。

「恵理子、整さんから電話だなんて、珍しい話だね」

「ええ、あの……」

「何か面倒なことでも、もちあがったのかい。橋宮の家でさ」

ツネが隣室から顔を出した。

五

「ええ、あの……」

恵理子は、いまの電話をツネになんと告げようかと思いながら、言葉を探した。母の保子が交通事故で入院したことは、どうせ知れることだから告げねばならない。が、容一の車に乗っていたことは知らせてはならない。といって、いま知らせたら、ツネはすぐにでも名寄(なよろ)に駆けつけるというかもしれない。

頭の中で、それらを忙しく考えながら、恵理子はいった。

「ねえ、おばあちゃん、驚いちゃだめよ」

「驚くって……まさか保子が交通事故か何かで、死んだっていうんじゃないだろ」

恵理子の表情を注意深く見ながら、ツネはやや冗談めいた口調でいった。

「まさか、死にはしないわ」

ツネの口から死という言葉が出たので、恵理子は少し気が楽になって、

「十日ぐらい入院しなくちゃいけないらしいけど、交通事故なのよ」

「ふーん、交通事故ねえ」

気丈なツネは顔色も変えずにうなずいた。

「ああよかった、おばあちゃんが驚かなくって」

「こんな車の多い世の中に、交通事故にいちいち驚いていたら、体がいくつあってもかないませんよ。おばあちゃんはね、保子でも恵理子でも一歩外に出たら、無事帰ってくればめっけものと思ってるくらいだからね」

ツネは笑って、

「で、どこに入院したんだね」

「名寄なの」

「一緒に乗っていた人も、怪我をしたのかね」

「さあ」

「ごまかさなくてもいいよ。どうせ、あの橋宮のろくでなしが乗っていたんだろう」

咄嗟には、恵理子は返事ができなかった。

「どうして、おばあちゃん……」

「恵理子、わたしはね、まだもうろくはしてはいませんよ。整さんから知らせが来たのなら、ハハン橋宮の車だなって、誰だってピンとくるじゃないの。でなきゃ、整さんが保子の交通事故をうちより先に知るもんかね。え？　そうだろう」

「おばあちゃんには、かなわないわ」

「恵理子、それでほんとうに十日間の入院ですむのかね」

「ええ、胸をちょっと強く打ったらしいの」

「胸でも背中でも、いやというほど強く打ちゃあよかったんだよ。馬鹿だよ保子は。学校時代のクラス会だのなんだの、から嘘ばかりいって」

「すみません」

思わず恵理子は頭をさげた。

「何もお前があやまることはないよ。恵理子は保子の母親じゃないんだからね。とにかくさ、命に別条がないんなら、あわてて駆けつけることはないよ」

「だって、おばあちゃん」

「いいの、いいの、ほうっておきなさい。いい年をして、妻子ある男と遠出をしたんだからね。神さまに大きなお灸を据えられたって、当たり前だろ。知らんふりをしておきなさい。そしたら少しはこりるだろうからね」

恵理子はツネを見た。ツネは心からそう思っているのか、口先だけで強いことをいっているのか、恵理子には見当がつかなかった。

ツネは背筋をしゃんとして、お茶を点てる時のような姿勢ですわっている。

「おばあちゃん……おばあちゃんはそれでいいかもしれないけど……」

ツネは見据えるように、恵理子を強いまなざしで見た。

「いいのいいの。保子はね、わたしが少し甘やかして育てたから、このへんで大人になってもらわなきゃ、困るんだ。おばあちゃんだって、いつまでも生きてるわけじゃないからね」

「そんな、おばあちゃん……」

「怪我して野っ原にねこんでいるわけじゃなし、医者も看護婦もついているんだからね。痛いぐらいひとりで我慢したほうがいいだろう。そのほうが保子の薬ですよ。それよりお前……」

と、あごで二階をしゃくるようにさし、

「西島さんが心配してるよ。ほかの男から電話がきて、いつまでもあがって行かないと、西島さんだってやきもちをやきますよ。男だって、けっこうやきもちやきなんだから」

ツネはちょっと声をひそめて笑った。

恵理子も西島のことを考えないわけではない。が、問題はさらに重大なのだ。

「大丈夫よ、西島さんは。それからね、おばあちゃん、香也ちゃんのお姉さんの章子さんているでしょう?」

「ああ、こないだお墓で会った……」

「ええ、あのひと家出したんだって」

「えっ？　そりゃあ一大事だ。で、どうして出たのかね。行き先はわからないのかい」

ツネがせきこむようにいった。

「さあ……」

「あそこには、香也子って子がいるからねえ」

ツネは深く眉根を寄せ、考えこむ顔をしていたが、

「とにかく、そりゃ大変だよお前。若い娘って、思いつめると何をするかわからないからね。恵理子、心あたりのところには、みな電話をかけてやるといいよ」

と、心配そうに立ちあがった。

「ええ、かけてみるわ。でも章子さんのことはよくわからないし……」

いいながら恵理子は、ツネに驚きの目を向けた。わが子の交通事故には強いことをいいながら、なんの血のつながりもない章子の家出の心配をしている。

考えてみれば章子の母は扶代である。いわば保子から妻の座を奪った女なのだ。恵理子は改めてツネのあり方に驚きの目を見張った。

六

細かい雨が朝から降っている。扶代は絹子と二人で、昼の食事を終えたばかりだった。これで一週間近く、扶代と絹子の二人っきりの生活がつづいた。毎日のように整は寄ってくれるが、扶代にはいいようもなく侘しい毎日であった。

(せめて……わたしにだけでも電話をくれたら)

行方のわからない章子を思って、扶代は心の中で呟く。金井は一度顔を見せただけだった。そして、その時金井はいった。

「たとえぼくが、香也子さんと神居古潭まで行ったって、何をしたわけじゃなし、家出までする必要がないと思うんだがな」

章子の受けた心の傷を、金井は思いやるふうはなかった。家出した章子だけが悪いかのような口ぶりだった。

「じゃ、あなたにはなんの責任もないとおっしゃるの?」

ひとこともあやまろうとはしない金井に、扶代は詰め寄った。

「そんなことを、いちいちぼくのせいにされちゃ、かないませんよ。だいたい、少し章子さんは、性格が弱過ぎますよ。もっとしっかりした人かと思っていたんだけど、こんなことじゃ結婚を考えっちまうなあ。長い人生には、いつ何があるかわかりませんからねえ。そのたび家出をされちゃあ、かないませんよ」

金井は、またくるといって帰って行ったが、内心扶代は、金井は二度と現れまいと思っていた。扶代からその話を聞いた整は、

「かわいそうになあ、章子ちゃん」

と、大きく腕を組んだ。整は金井を口汚く罵りもせず、ただ、章子をかわいそうだといった。

「どうしてるんでしょうねえ、章子さん」

絹子はつい同じ言葉が出てしまう。絹子にとって、章子は姉にも似たやさしい存在だった。それだけに絹子の落胆も大きかった。

「さあ、生きてだけいてくれればいいと思うけど……」

章子は着替えも預金通帳も持ち出してはいない。ただ、ハンドバッグを一つ持って出ただけだ。どれほどの金も持っていないはずだ。

(でも、きっと生きているわ)

扶代は自分を励ますように幾度もそう思う。

扶代と絹子は、章子の話はしても、容一のことには全く触れない。香也子はすぐに容一

のところに駆けつけた。その時、当座に必要なものは持たせてやった。香也子はそのまま帰ってこない。香也子としても、章子の家出が少しは応えているのかもしれない。それで家に居辛くて、容一のところに飛んで行ったのだと思う。容一の容態は、会社の者たちが報告に来るので、逐一わかっている。今日退院するはずのことも、扶代は知っていた。

その容一を、快く迎える気持ちはさらさらない。結局は、香也子が章子を追い出したのだ。そしてまた、容一が追い打ちをかけるように、扶代自身の心を傷つけたのだ。簡単には許せないと、扶代は雨の降る窓に、激しい視線を放つ。

（もし、章子が死んででもいたら……）

扶代は決して香也子を許すまいと思う。香也子と容一を殺して、自分も死のうとさえ、心ひそかに思っている。

「あら、お帰りのようですわ」

表のほうでトニーが吠え立てた。

絹子が玄関に出て行った。

「ただいま……。お父さんのお帰りよ」

大声で、香也子がはいってきた。扶代は黙って椅子にすわったまま、動こうとしない。

「やあ、ただいま」

相変わらず機嫌のいい声が聞こえ、やや疲れた顔で、容一が扶代の前に姿を現した。

「お帰んなさい」

扶代はちらりと容一を一瞥した。

「やあ、心配かけて悪かったねえ」

容一は扶代の前のソファーに腰をおろした。

「いいえ」

抑揚のない声で扶代は答える。が、容一はその扶代に、なんのこだわりも見せずに、

「で、章子はどうしたね。まだ居所がわからないのかね」

「わかりません」

「それは困ったな。香也子の奴、くだらんことを……全くしようがない奴だ」

二人のやりとりをじっと見ていた香也子が、鋭くいった。

「あら、やっぱりわたしが悪いの、お父さん。お父さんは、香也子のしたことは、それはそれで当然だって、おっしゃったでしょう」

「それはまあ、お前だって悪い気でしたことではないから……」

「そうよ、悪い気でしたんじゃないわ。金井さんがあんまりひどい嘘つきだから、章子さんにはっきり教えてあげたのよ。それに何よ、面当てみたいに家出しちゃって！」

「香也子、お前はそれがいかんのだ、それが。少しはやさしい言葉を口から出しなさい」

「ハイハイ……お父さんったら、小母さんの前にくると調子のよいことをいうんだから」

香也子はぷいと二階に行ってしまった。

「あのう……お食事になさいますか」

おずおずと絹子が聞いた。

「いや、途中で食べてきたからいいよ」

容一は絹子にも愛想よく答えた。

絹子が去ると、容一は、

「ま、いろいろとすまんかったな」

と、扶代の手を取った。扶代はすっと手を引いて、

「いろいろってなんですか」

と、切口上にいった。

「いろいろって……香也子のことやら……事故のことやら……」

「…………」

「わしの運転が悪かったわけじゃないんだ。新聞にも出ていたとおり、相手が居眠り運転でね。こっちから見ていて、センターラインを越えてくるんで、こりゃあ危ないっと思った

がね」

容一は饒舌（じょうぜつ）に語り出した。が、扶代はうなずきもしない。コーヒーを運んできた絹子が、

「まあ恐ろしかったでしょうね、それは」

と、扶代に代わってあいずちを打った。容一はほっとしたように、

「恐ろしかったねえ。で、そのでっかいトラックにぶつかるよりは、道の下に落ちたほうがいいと思ってね。そのままハンドルを左に切ったのさ」

「もし衝突していたら、命がなかったですね、旦那さま」

「そうともさ」

「でも、これからは遠出はなさらないでくださいね」

黙り込んでいる扶代を絹子はちょっと見て、

「奥様、わたし夕食のお買い物に行ってきます」

と、部屋を出て行った。

「ま、そういうわけで、命は無事で帰ってきたんだからさ」

容一は内心、扶代の固い表情に辟易していた。扶代はやさしい女だった。のんびりとしてこだわらない女だった。その扶代に容一は甘えていた。が、いま見る扶代の表情は、あまりにも暗く、あまりにも冷たかった。

「扶代、もうわかったからさ、そんなに怒るんじゃないよ。第一、いまは夫婦げんかしてるときじゃないだろ。とにかく、すぐに章子を探さなくちゃあ」

「警察には届けてあります」

扶代はきびしい表情で答えた。

「新聞広告はまだ出してないんだろう」

「……………」

「母病気、すぐ帰れ、とかなんとか、少し大きな広告を出すんだよ。な」

容一はいいながら、すぐに電話帳を調べはじめた。そして広告社を呼び出すと、てきぱきと依頼した。終わるやいなや、

「それから、章子の高校時代の名簿はないか。先生や生徒に、片っ端から電話をかけて聞くんだ。そうだ、会社から誰か一人呼ぼう。花巻(はなまき)がいいな」

独りごとをいいながら、容一は早速会社に電話をした。

「ああ、わしだ。さっきはどうも。うん？　いや、それは後でいい。あっちのほうは後でいい。ちょっと急いできてくれないか」

花巻は容一の腹心の部下だ。四十をいくつか過ぎている。精力的な男だ。

扶代は、いま容一が、

「あっちのほうは後でいい」

といった言葉に、引っかかるものを感じた。声の調子がちょっと変わったからだ。あっちのほうとは、まだ名寄（なよろ）病院に入院している保子のことではないかと思ったのだ。花巻は容一の入院中、絶えず扶代のところにも連絡にきていたから、たぶん毎日のように名寄にも通っていたにちがいない。そしてその半分は、保子の用事も弁じていたにちがいない。扶代の神経は鋭く働いた。

「とにかく手を尽くすことだ。万一のことはないと思うが」

扶代は、容一を皮肉な目で眺めた。容一がてきぱきと事を処理しているのを眺めながら、なぜそれが、名寄にいるうちにできなかったかといいたかった。新聞広告を出すことや、学校の名簿を洗うことぐらい、花巻にことづけてもできることではなかったか。それを、すぐさましてくれなかったのは、容一にとって、章子の家出はさほど切実な事件ではなかったということではないか。それがいま、不機嫌な妻の自分を見て、事の重大さを感じたのではないか。

扶代はいった。

「もう遅過ぎますわ。あれから六日も七日も経ったんですもの」

六日も七日もという言葉に、扶代は力をこめていった。

「そうか、悪かったなあ。自分の怪我にかまけてしまってなあ。早く手を打つんだったなあ」

逆らわずに、容一はあくまでも下手に出た。

「章子が死んでいたら、わたしも生きてはいませんわ」

「そんな！　馬鹿な！　何をいうんだ」

あわてる容一に、扶代はかすかに笑っていった。

「わたしが死んだほうが……万事好都合じゃなくって？」

「馬鹿なことをいうな、馬鹿なことを」

大きくなりそうな声をおさえて、容一は、

「保子のことなんか、気にするなよ、扶代らしくもない」

「そうですか。自分の夫が、女と一泊旅行に出かけても、おとなしく、ニヤニヤしていろとでもいうんですか」

扶代の唇がふるえていた。

七

十日の入院のはずが、五日ほど延びて、半月ぶりに保子はわが家の前に車を降り立った。が、さすがに足が重い。クラス会が豊富(とよとみ)温泉であると、ツネには嘘をいって出かけた保子である。それが、橋宮容一の車に乗っていて、交通事故に遭った。居眠り運転をしていた対向車のトラックの運転手は重傷を負ったが、それを避けて、一メートルほど下の畑に落ちた容一と保子は軽傷であった。しかし、トラックの運転手が重症ということで、巻添えをくった保子たちのことまで新聞記事に出た。が、保子の名は出なかった。容一がとっさに、

「家内です」

といったためである。

とはいえ、保子はツネから見舞いの手紙もなく、むろん駆けつけてもこなかったことで、家の敷居が高かった。

「おばあちゃん、怒ってるでしょうね」

二、三度顔を見せた恵理子に、保子はいったが、

「大丈夫よ、おばあちゃんは」

と、恵理子はそのたびに母の保子を慰めた。

だが、いよいよ退院の今日、迎えにきた整に、

「叔母さん、おばあちゃんに何をいわれても、ただあやまっておいたほうがいいよ」

といわれて気が重かった。

一歩門をはいった保子は、草一本生えていない庭に、ツネのきびしさを改めて見せつけられたような気がした。先に立って整が格子戸をあけようとした。が、内から鍵がかかっている。恵理子がブザーを押した。ひっそりとして人の気配がない。

「留守かなあ、おばあちゃん」

整が格子戸の中をのぞきこむようにした。

「いるわよ。おばあちゃんが外出しているんなら、内から鍵はかけられないわ」

合い鍵を手にした恵理子がいって、再びブザーを押した。今度は中で、襖のあく気配がした。やがて、背筋をしゃんと伸ばしたツネの姿が玄関に現れた。保子は思わず整の陰にかくれた。整は、

「前に出ていらっしゃい」

と、保子の背を押した。

「どなたですか」

格子戸とはいえ、素通しのガラスである外が見えないわけはない。整が保子の背を突いた。

「お母さん、わたしです。保子です」

　おずおずと保子がいう。

「保子？　ハテネ。保子さんなんて、存じませんがね」

　他人行儀な声が返ってきた。

「すみません、お母さん。ご心配おかけして」

「どこのどなたか存じませんがね。わたしには保子なんぞという娘がおりませんでね。家をおまちがえになったんじゃございませんか」

　と、歯切れがいい。

「おばあちゃん、そういわないでさ。あけてあげてくださいよ」

　整が頭をかきながら笑いかけた。

「おや、お見かけしない方ですが、あなたさまはどなたで？」

　みじんも許す気配がない。

「お母さん、ごめんなさい」

　保子は格子戸に、ややほっそりとなった手をかける。

「ぼくは退散したほうがいいかな」

小声で整はいい、気を利かして帰って行った。

「とにかくね、わたしには半月も無断でほっつき歩く娘はおりませんでね」

「……でも、おばあちゃん。お母さんは交通事故で入院していたのよ」

持っていた両手の荷物を下に置いて、恵理子もいう。

「ほほう、交通事故にねえ。どなたの運転する車に乗っていたんだい」

「…………」

保子はうなだれた。

「え？　運転手は誰だい？」

「あのう……橋宮です」

「橋宮？　へえー、お前、クラス会があるんで豊富温泉に行ったんだろ。そうかい、橋宮はお前の高校時代の同期生かい」

めったに人通りのないところだが、まだ午後三時である。しかも隣近所もある。保子は困りはてて、うなだれたまま立っていた。土手の草むらからキリギリスの声が聞こえてくる。

「おばあちゃん、お母さん疲れるわ。お願いだから入れてあげてよ」

声をひそめていう恵理子に、

「恵理子は黙ってなさい」

と声も鋭くしりぞけて、

「橋宮ってのは、確かお前が別れた男だろ。いまは確か、立派な奥さんのいる男だろ」

「…………」

「お前いつから、泥棒猫みたいな真似をしていたんだい？」

「…………」

「わたしには、内緒ごとをしてくれるなと、あれほど頼んだのに忘れたのかい」

「……すみません」

いいながら保子は、唇を噛んだ。なんという母親だろうと思った。ツネのいうことは正しい。が、自分はもう子供ではないのだと、ひらきなおりたい気持ちがあった。しかも、容一は恵理子の父ではないか。容一に妻があるとはいえ、その妻は、自分から容一を奪った者ではないか。本来は容一は自分のものなのだ。容一との一夜が、いつのまにか保子をふてぶてしく変えていた。

「おばあちゃん」

再び恵理子が哀願する。

「保子、橋宮と二度と会わないというのなら、入れてもいいよ。それが約束できるのならね」

「約束します」

保子は心にもないことをいった。

「ほんとかい」

「ハイ、もうこりごりしました」

黙ってツネは鍵をはずした。と、さっとあがって居間に行った。

「さ、お母さん」

恵理子がいった時、保子は、

「無理矢理いれてもらわなくてもよかったのよ」

と、すねたように小声でいった。

変　貌

雪びさし

雪びさし

一

橋宮容一は、金井の言葉に、黙って視線を窓にそらした。まばゆいような新雪が、深々と庭を埋め、向かいの山を埋めていた。すっかり葉の落ちた丘の林に、淡い日ざしがさしていたついこのあいだまでの晩秋の風景も、いまはすっかり白いちめんに覆われている。まだ十二月の二十日を過ぎたばかりなのに、例年にない雪の深さで、沢の向こうのスキー場サンバレーから、ラウドスピーカーが絶え間なく曲を流してくる。

扶代は、窓外に目をやっている容一をちらりと見、目の前にすわっている金井を見た。金井は硬い表情を見せて、灰皿にタバコを押しつけている。いま金井は、容一と扶代に向かって、

「章子さんとのことを、ハッキリさせたいと思いまして……」

といい出したのだ。その金井の気持ちは、章子が家を出た時からわかっている。あれから四か月の間、金井は章子の行方を探そうともせず、この家に訪ねてもこなかった。

章子が家出をした時、

「こんなことじゃあ、結婚を考えっちまうなあ。長い人生にはいろんなことがあるからねえ。そのたびに家出をされちゃあ、かないませんよ」

と、金井はいったのだ。それ以来訪ねてきたのは今日がはじめてである。

そんな金井に、扶代はとうに見切りをつけていた。が、見切りをつけたものの、淋しかった。章子がそんな男を愛したのかと思うと、腹立たしかった。

その金井が、いまさらのように、章子との間をはっきりさせたいといってきたのだ。

容一は視線を金井に戻していった。

「章子との間をはっきりさせたいというのは、つまりどういうことかね」

金井は紅茶をひと口飲んでいった。

「つまり、ぼくと章子さんとの間を、白紙に戻したいということです」

やや切口上であった。

「しかしね、君、章子もあんなふうにしていきなり家を出たんだからね。はっきりするも何もないだろう」」

「ですけれどねえ、この際ぼくにもいわせてください。章子さんには、ぼくも全く参りましたよ。塾とはいえ、ぼくも教師ですからね。婚約者に逃げられたなんて、あまり体裁のいい話ではありませんよ」

金井の目が冷たく光る。扶代はその金井をまじまじと見た。

「だがね、君、章子はたんなる勝手気ままでとび出したわけじゃないからね。君にも一半の責任があることだし……」

「責任？　ぼくが香也子(かやこ)さんと神居古潭(かむいこたん)に行ったことですか、それは」

「そうだよ」

「冗談じゃありませんよ。いまどきそんなことで家出するなんて、大笑いですよ」

(大笑い？)

扶代はいい難い憤りをこらえながら膝頭を見つめている。

「そうでしょう。橋宮さんだって、奥さんに内緒で女の子とドライブしたことぐらい、ないわけじゃないでしょう」

金井はうす笑いを浮かべた。容一の交通事故の一件を知っていての言葉である。容一は眉をひそめた。

「そのたびに、奥さんに、家を出るのはいるのといわれちゃ、橋宮さんも参りますよね」

章子のいた間、容一を「お父さん」と呼んでいた金井が、「橋宮さん」と呼ぶ。それがいかにも耳ざわりだ。

「まあ、そうもいえるが……」

「それでですね。ぼくの受けた社会的な……精神的な打撃は、決して小さくはないんです。何しろ、大勢の生徒や知人友人が、章子さんとの間を知っていましたからね」

「ふーん」

「お陰で塾生がだいぶ減りました。実害もあるわけです」

「で、どうしてくれというんだね。まさか、慰藉料(いしゃりょう)をくれなんていうんじゃないだろう」

「いや、ぼくとしては、そういいたいぐらいの気持ちですよ」

ぬけぬけと金井はいい、

「しかし、それは章子さんが帰ってきてからのことにして……」

「帰り給え！」

容一は金井を一喝した。

「帰りますよ。いわれなくても用事さえすめば」

「用事？」

「そうですよ。もし結納がはいっていれば、ぼくは結納を戻してもらうわけです。ね、そうでしょう」

「だが、幸いまだ結納がはいっていなかったねえ」

「結納ははいっていなかったけど、ぼくが章子さんのために使った金は、馬鹿にはなりませんよ」

「まあ！」

いままで黙っていた扶代が、思わず声をあげた。呆れて次の言葉も出なかった。

「なんだって？　君、章子のために金を使った？」

「そうですよ。一緒にお茶を飲んだこともあるし、食事をしたこともありますよ。大雪山(だいせつざん)に登った時も……宿に三泊しました」

「あら、山小屋に泊まったんじゃないんですか」

扶代の言葉にニヤリと笑って、

「予定を変更しましてね、宿に泊まったんです。これ、このとおり、領収書も持っています」

金井は背広の内ポケットから、小さなノートや領収書などを取り出した。容一も扶代も呆れて、ただ顔を見合わすだけだった。

「ごらんください。これがぼくの金銭出納簿です。赤丸のついているのが、章子さんのために使ったお金です。そのほかに、車のオイル代もかかっていますが、これはまあぬきにして……」

容一は、手にとってしげしげとそのノートを見た。そこには実に、克明に金銭の出納が記入されてあった。

「ハガキ一枚一〇円」「ハイライト一個七〇円」「ちり紙一帖五〇円」「カンビール一個一四〇円」目で追いながら、不意に容一は笑いたくなった。赤丸のついているところに、「食事代。チキンライス2、六〇〇円、コーヒー2、三〇〇円」

細かい字でていねいに書いてある。容一はその金銭出納簿を扶代に渡した。扶代は黙って受け取った。

章子が家を出て以来、扶代と容一の間は気まずくなっている。だがいま金井を前にした二人の胸に、通い合う何かがあった。

「なるほど。金井君、君はこういう男だったのか」

「そうです。ぼくは無駄なことに金を使うことの嫌いな男でしてね。合理性を重んずるんです。自分から去って行った女に使った金は、正直惜しいと思うんです」

「そんなものかね」

「橋宮さんにしたって、そんなものじゃありませんか。女の子を口説くために、ハンドバッグを買ったり、靴を買ってやったりして、その娘がうんといわなけりゃ、急にお金が惜しくなるでしょう」

探るように金井は容一を見た。容一は内心ぎくりとした。容一には会社の女の子に、ハイヒールやハンドバッグを買ってやった覚えがある。が、まだその娘に手を出してはいない。

（油断のならぬ男だ）

容一はじろりと金井を見た。

「とにかくね、橋宮さん。ぼくたち現代の青年は、無駄な金を使わないんです。新しい生き方なんですね、これが」

容一の口が皮肉に歪んだ。

「君は、章子をいただいたんだろう」

金井は黙ってニヤニヤした。

「ただでいただいたんだろう。それならそれでいいじゃないか」

「しかしね、橋宮さん。それは章子さんも楽しんだことだし、第一、金とは関係はありませんよ」

合計どれほどでもない金に、金井は執着しているようだった。

「帰り給え！　君がそこにいると、殴りたくなるから帰り給え」

きびしい語調に、

「橋宮さん、橋宮さんはぼくを殴れるんですか。殴って勝てると思うんですか。ぼくは、橋宮さんよりずっと若いんですよ」

と、金井は立ちあがった。

「金井さん」

扶代が感情をおさえた声で、金井の名を静かに呼んだ。

「なんです?」

「あなたが章子に使ったお金は返しましょう」

きっぱりと扶代がいった。

「扶代！　そんなことすることはない」

「いえ。こんな人に、コーヒー一杯でもおごられるなんて、耐えられませんわ、わたし」

扶代は絹子(きぬこ)を呼んだ。

「わたしのハンドバッグを持ってきて」

扶代の顔が青ざめていた。

「やっぱり、奥さんは話がわかりますね」

金井は臆面もなくいった。扶代は黙ってガラス越しに外を見た。午後の日がかげって、さっきまで眩かった雪の原は、光を失っていた。スキー場からジングルベルの曲が、賑やかに流れてくる。

扶代は、心の底から章子が哀れだと思った。章子はいまどこに生きているのか。あるいは、もうこの世にはいないのかと、輝きを失った雪の原に侘しい目を向けた。

二

金井が玄関を出るのを、誰も見送らなかった。絹子でさえ見送りに出ようとはしなかった。容一はふと時計を見た。三時だった。

「なんだ、こんな時間か」

と、あたふたと立ちあがった。その容一を扶代は何もいわずに見あげた。今日は日曜日である。午後から出かける予定だと聞いていたが、時刻は聞いてはいなかった。

「着替えるよ」

促すように容一は扶代を見た。扶代は無言のまま、容一の後についた。交通事故の一件以来、扶代の態度が固くなったとはいえ、容一の着替えを手伝う習慣は、失われてはいなかった。

扶代が階段を登ろうとした時、香也子がばたばたと降りてきた。鮮やかなグリーンのスキーウェアを着ている。これからスキー場へ出かけるのだろうと思ったが、扶代は香也子に声はかけない。香也子もまた、扶代には声をかけず玄関に出て行った。

扶代は、香也子とつとめて口をきかないようにしていた。章子が家出をしてからというもの、扶代は香也子の顔も姿も見たくはないのだ。うっかり口をきこうものなら、むらむらと怒りがこみあげてくる。怒りを抑えるためにも、必要以外の口をきくまいと、扶代は心に決めている。

香也子は、そんな扶代に気もとめないふうに出て行った。

部屋にはいると容一はもうセーターを脱ぎ捨てて、ズボンをはいているところだった。

「ずうずうしい奴だね、まったく」

金井を怒る口ぶりに、扶代もうなずき、

「あれほどとは思いませんでしたわ」

と、ワイシャツをうしろから着せかけた。尋常な返事が返ってきて、容一はほっとしたように、

「章子が帰ってきたら、今度はいい男を見つけてやるんだね」

と、やさしくいう。

「章子は生きているでしょうか」

「生きているさ。死ねばなんとなくわかるものだよ。夢みがわるいとか、なんとかね」

朱と紺の縞の交差する少し派手なネクタイを結びながら、容一は鏡の中をのぞきこんだ。もう誰かにやろうと思っていたこの派手なネクタイを、容一はこの冬になってからたびた

び結ぶ。

「生きていてさえくれたら……」

扶代の声がうるんだ。

「大丈夫だったら。なんなら、占い師にでも聞いてみたらどうだ。よく当たるのが、会社の近くにいるそうだよ」

「そうねえ」

扶代も、前から幾度かそう思っていた。占いなど当たるものかと、ふだんは思っていても、章子が行方不明になってからは、なんとなく占ってもらいたい気持ちになっていた。

「ああ、今日は夕食はいいからね」

容一は窓の外を見た。が、

「なんだ！　まだ金井の奴がいる」

と、苦々しげにいった。

「あら、まだですか」

金井が出て行って、十分近くは経っている。扶代も窓から下を見おろした。うしろのトランクをあけて、金井がタイヤを中に入れるところだった。

「パンクか」

容一が呟いた時、金井はドアをあけて運転台に乗りこんだ。

「あら!?」

扶代が小声で叫んだ。

「どうした？」

「香也ちゃんのスキーが……」

車は走り出した。車の屋根に香也子のスキーがくりつけてあった。北国の若者たちは、自分の車の屋根にスキーを乗せる装置を設けている。金井が自分のスキーを乗せているのなら、なんのふしぎもなかった。が、香也子のスキーが乗せてあるのだ。つまり香也子を乗せているということだ。

車が走り出した時、香也子のスキーウエアがちらりと見えた。

「いったいどういうつもりなんだ、香也子は」

さすがに容一は腹だたしそうにいった。扶代は答えずに、雪道を走り去る金井の車を見つめていた。

三

香也子がスキーを肩にかついで門の外に出た時、金井はトランクをあけ、スペアのタイヤを出していた。

「あら、パンクなの」

なんのこだわりもない香也子の声だった。金井はむっつりと、タイヤを取り換えにかかった。

「金井さん、急ぐの？」

金井はじろりと香也子を一瞥した。が、香也子は、

「急がなかったら、スキー場まで送ってってよ」

と、なんのこだわりもない。金井はジャッキで車体を押しあげながら、依然として返事をしない。

「あら？　金井さん、今日は変ねえ」

いま気がついたように、香也子は小首を傾け、

「怒ってるの、金井さん？」

「………」

「何も怒ることないわよね。章子さんは金井さんから逃げてったかもしれないけど、わたしはべつになんの変わりもないんだもの」

「………」

「ハハア、やっぱり金井さん、章子さんのこと愛してたのね。で、逃げられてショックなのね」

「………」

「でも、あんなひとに逃げられたって、どうってことないんじゃない？　章子さんよりすてきなひとは、たくさんいるわ」

雪にスキーを突きさし、香也子は押し黙っている金井に、次々と語りかけていく。

「だいたいおかしいわよね。そりゃね、みんなにいわせると、わたしが悪いらしいのよ。でもさ、金井さんだって悪いのよね。わたしと神居古潭に行ったことを正直にいえばいいのに、変にかくしたりしてさ。そしたら、まるっきりわたしが嘘つきに見えるじゃない？　だからわたし、わたしを乗せた運転手さんを探したのよ」

「………」

「それなのに何よ、章子さんったら。次の朝ぱっと姿をかくしたりして。パパには叱られるし、章子さんのお母さんにはいびられるし……そんなのないわねえ」

ジャッキで車体をもとに戻してから、金井は短くいった。

「乗り給え」

「あら、ありがとう。じゃ、このスキー、屋根に乗っけてね」

香也子はさっさと助手席にすわった。金井がスキーを車の屋根にくくりつけ、パンクしたタイヤをトランクに入れた。

運転台にすわって、ギアを入れながら金井はいった。

「君って、変わった子だな」

以前よりぞんざいな口調だ。

「変わってて結構よ。一人一人顔がちがってるんですもの、気持ちだってちがってるのが当たり前でしょ」

「なるほど」

「金井さん、やっぱり章子さんのこと、忘れられない？」

「思い出しもしないよ」

「嘘ばかりいって」

香也子は、ふだんはスキー場には、スキーで行く。自分の住む高砂台（たかさごだい）の丘をすべり降り、ひと沢越えればスキー場なのだ。だが金井を見た香也子は、不意に金井をからかいたくなったのだ。章子に去られた金井が、敵意をあらわに見せれば見せるほど、香也子は金井と話をしてみたくなったのだ。つまらぬ男だとは思いながらも、自分を無視している男を、そのままにしておく気はなかった。

自分の投じた一石が、どれほどこの男を傷つけているか、香也子は知りたくもあった。相手が傷ついていればいるほど、香也子は満足なのだ。

「金井さん、残念だったでしょ。結婚できなくて」

ヒーターが香也子の足にあたたかい。

「まさか」

車は急坂を下りはじめる。金井は用心深くブレーキを踏む。ロードヒーティングがしてあっても、冬の坂道はすべって危ない。

「そう。じゃ、もっとニコニコしてらっしゃいよ」

香也子は楽しそうに笑う。

坂を下り終わって、車は国道を左に折れた。車で行くとスキー場はかなりの遠回りになる。雪にまみれた原木を高く積んだトラックが、二人の前をのろのろと行く。いきおい、金井の車も速度が遅くなる。

「君は本望だろう。ぼくらの間を引き裂いて」

冷たい金井の言葉に、

「あら、引き裂いたつもりはないわ。愛し合ってたんでしょう。あんなことぐらいでこんなになるとは思わなかったもの」

「………」

対向車が、いずれも雪をかぶってすれちがう。札幌(さっぽろ)方面は大雪なのだろう。

「でもね、わたしはうれしいの」

胸をそらせて、頭をシートの背にもたせながら、香也子は横目で金井を見た。

「うれしい?」

「そうよ。金井さんは当分結婚しないでしょ。わたし、本当は金井さんにしばらくひとりでいてほしかったんだもの」

大胆な言葉だった。愛の告白ともとれる言葉だった。

「でたらめをいうなよ」

いったが、金井の表情が心持ちゆるんだ。

「でたらめ? と思ってもいいわ。とにかく、わたしがお嫁に行くまで、あなたひとりでいてね」

金井と結婚したいとはいわない。が、自分が結婚するまでひとりでいてほしいということは、男の心をくすぐる。

「ね、金井さん。金井さん、章子さんが家出しなかったら、いまごろ結婚してたのよね、あの家に」

「あの家？」

けげんそうに金井がいった。

「ほら、二人の新居を造るといってたでしょう。あの家よ。家だけはちゃんとできあがってるわ」

「え？　家はできた？」

「そうよ、大工さんと契約しちゃったんだもの。家だけはできたそうよ。わたしは関係ないから見に行ったことはないけど」

「ふーん、それは知らなかった」

残念そうに、金井はいった。

車は再び左に折れ、国道から沢にはいって行く。

「章子さんが帰ってきたら、章子さんにあげるんですって」

「帰ってくるかな、彼女」

「わかんないわそんなこと」

邪慳にいって、

「でも、もったいないわね。新築したばかりの家を空家にしておくなんて。三十坪もあるんだって。二人っきりの新婚には、大きすぎる家ね」

金井は黙って、車を走らせた。スキー場からの帰りの車が、何台もすれちがって行く。スロープですべっている人たちがはっきりと見えてきた時、不意に金井はいった。

「どんな家が建ったのかな」

金井は俄に、失われた家が惜しくなったのだ。

「見たい？」

「見るだけでもね」

「中にははいれないわ。パパが鍵を持っているらしいから」

「いいよ、外から見るだけで」

「じゃ行ってみましょうか」

「君も？」

「そうよ。いままで興味なかったけど、もしかしたら、金井さんが住んだかもしれない家ですものね」

「スキーは？」

「スキーなんか、夜でもできるわ。暇をもてあましているんだもの」

まったくの話、香也子は行くところがあればどこでもかまわなかった。スキー場でも、映画館でもよかった。いまは金井と話をしていることのほうが、スキーをするよりも楽しく思われた。章子が行方不明になって、金井がどんな傷を受けたか、香也子はもっと知りたいのだ。いま、金井が章子と住むはずであった家を見たいというのは、その傷のあらわれなのだ。といって、金井としても、ひとりでその家のまわりをうろつく気にはなれまい。なんとなく、うしろめたくもあろう。だが香也子と一緒であれば、気が楽にちがいない。

金井はスキー場の手前で、車をUターンさせた。国道に出てから、金井はいった。

「君とは、いままでどおり仲よくやっていこうか」

「そうね。当分の間、章子さんの代わりをしてあげてもいいわよ」

香也子は媚をふくんだ目で金井を見た。

「悪い人だな、あんたは」

「金井さんと同じぐらいにね」

香也子は軽く肩を金井に押しつけた。

もし章子が生きているとしたなら、再び章子は帰ってくるかもしれない。その時章子に、金井と親しい自分の姿を見せつけてやりたいような気がした。

金井は、これから見る家のことを思っていた。この香也子が、くだらぬ邪魔を入れさえしなければ、自分はいまごろ、その家の主となっていたはずなのだ。たとえ章子名義になったにせよ、それを自分名義に変える手はいくらでもあった。この小悪魔のような娘が、自分から、その家を奪い去ったのだ。そう思うと、金井は、なんらかの形で香也子を痛めつけてやらねばすまぬような気がした。

車を走らせながら、金井は忙しく胸の中でソロバンをはじく。

（香也子と結婚するという手もある）

香也子は、妻にしたいと思う女ではないが、橋宮容一の娘であるということは、大きな魅力であった。それは、章子に近づく時も、同じ計算をしていた金井だった。が、章子の家出に腹を立てて、容一の機嫌を損うようなことをしたのは、われながら失敗だったと、章子が去ってから今日までのことを金井は思った。

（なに、香也子を自分のものにしてしまえばいいんだ）

内心、金井はニヤリとした。容一が死ねば、その遺産を香也子は受けるにちがいない。

（小憎らしい娘だ）

金井の心はしだいに明るくなっていった。香也子に妊娠でもさせてしまえば、橋宮容一だって折れるだろう。香也子を溺愛している容一を、金井はいままで見てきている。

（それにしても、今日のおれはまずかったな）

容一と扶代にたいしてとった自分の態度を思い返しながら、

（なに、なんとかなるさ。章子を失って逆上していたことにでもするさ）

車は、長い両神橋を渡ってから、右に折れた。やや走ってさらに右にはいると、美瑛川の堤防を背に建つ新しい二階建てが見えた。

「あ、あれよきっと。意外と大きいわね」

指さされて、金井は内心うなった。うすいベージュ色の壁が、チョコレート色の屋根によく似合って、いかにも瀟洒（しょうしゃ）だった。

「誰も住まないなんて、もったいないわねえ」

香也子もはじめて見る家だ。場所は一度きいて知っている。

家の前で車をとめさせた香也子は驚いていった。

「あら!?　誰か住んでるのかしら。道がついてるわ」

門から玄関までの数メートルの道は、無人の家のように雪で埋まってはいなかった。

「変ねえ」

門標には〝橋宮〟と、陶製の表札が出ている。

「ブザーを押してみようかしら」

香也子は外に降り立った。

四

「おや、珍しいじゃないか。きものなんか着て」

餅を飾ったテレビを背にすわりながら、ツネが香也子にいった。

「似合うでしょうおばあちゃん、香也ちゃんのきもの」

黄色いセーターを着た恵理子(えりこ)がいう。

「おばあちゃん、おめでとうございます」

香也子がちょっと肩をすくめて両手をついた。

「ああ、おめでと」

外から帰ってきたばかりのツネは、少し帯上げをゆるめながら、

「しかしなんだろ、香也子のところでは、今年はたいしたおめでたい正月でもないだろ」

「そうよねえ、大変よねえ、きっと」

盆に汁粉とナマスを運んできた保子(やすこ)が、いいながら眉をひそめた。

「うわあお汁粉、うれしいわ。今年はね、うちじゃお雑煮しか作ってくれなかったのよ」

香也子は甘えるようにツネを見た。

「何をいってるんですよ。お汁粉ぐらい、香也子が作ったらいいじゃないか。いつまでも子供じゃあるまいし」

「おばあちゃんには、かなわないわ」

さすがの香也子も、歯にきぬを着せぬツネのいい方には、ふくれることもできない。

「それで、年賀状もこないの」

再び恵理子は、話題を章子に戻した。

「こないわよ」

香也子は、容一と扶代が、たくさんの年賀状の中から、それらしい筆跡を探していた様子を思い浮かべながら、にべもなくいった。

「だけど、香也子だって、寝ざめがわるいだろう」

恵理子の持ってきた茶をひとくち飲んで、ツネがいう。

「そうでもないわ。べつにわたしが悪いんじゃないもの」

香也子はちょっと足を崩した。

「せっかくのきものが泣きますよ」

ぴしゃりとツネはいい、

「香也子も、気の強い娘だねえ」

と、やや呆れたように香也子の顔を見た。顔だけ眺めていれば、愛らしい娘だ。だが、何をいいだすかわからない危険な娘なのだ。

「ああおいしい。おかわりしてもいい？」

「ハイハイ、お安いご用ですよ」

保子がいい、恵理子が素早く立った。まだ四時前だが、もう外はうす暗い。立った序に恵理子が電気をつけた。

「あのねえ、おばあちゃん、すごくふしぎなことがあったのよ」

お代わりのお汁粉をひとくち口をつけてから、香也子はいった。

「ふしぎなこと？」

「ええ、あのね、クリスマスの前の日曜日にね、うちに金井さんがきたのよ」

「金井？」

「ええ。章子さんの彼氏よ」

香也子は金井が、章子にかかった諸経費を細々と請求してきたことを、手短にツネたちに話した。

「呆れた男だね。情けない」

「信じられないわ、そんな神経って」

恵理子も呆れていった。保子は黙って聞いている。あの日すぐに、容一から聞いた話なのだ。

香也子は、その金井と章子の家を見に行った時の話をした。

「章子さんが帰ってくるまでは、空家の筈だったのよ。それがちゃんと道がついているの。石油ストーブだから、煙突からの煙はよく見えないけど、なんとなく家に人がいる感じなの」

「じゃ何かい、そこに家出した娘さんでも住んでるようなのかい？」

「そうかもしれないと思ったの。で、わたしブザーを押してみたのよ。でも、誰も出てこないの」

「そりゃあ、家出した娘さんなら、誰がきたって出てこないわよ、香也ちゃん」

いいながら、さりげなく保子は台所に立った。

あの日あの家で、保子は容一と会っていた。レースのカーテン越しに、金井と香也子が車を降り立つのを保子と容一は見たのだ。

「大変だ！　香也子だ」

一瞬容一はあわてた。だが保子は、施錠してあるドアをこわしてまではいってくることはあるまいと、部屋の中から、香也子と金井の様子を見ていた。戸外は家の中より明るい。だから家の中からは見えても、外からは家の中は見えないのだ。レースのカーテンが、巧みに内と外を隔てていた。

いま保子は、その時の執拗に鳴りつづけたブザーの音を思い出している。

そのブザーの音に、幾度か立ちあがりそうになる容一を、保子は引きとめた。やがてブザーの音が消えた。

「変ねえ。留守なのかしら」

「空家ですよ、やっぱり」

香也子と金井の声が、中にいる保子たちに聞こえた。

「だって、きれいに道がついているじゃない」

「会社の人でも、時々道をあけにくるんじゃないの」

なれなれしい金井の声がした。

二人を乗せた車が去った時、容一は保子を抱きよせていった。

「妙なもんだな。おれたちはあの娘や恵理子の親なんだがなあ」

「そうよ、会って悪いことはないのよ」

「とにかく、この家はもう使えないな」

それから何日か後、ホテルで再び会った時、保子は容一から聞いた。香也子があの家に誰かがいるといい張ったことを。容一は何食わぬ顔で、金井がいったように、

「雪が降った日は、会社の者に道をつけさせておくんだ。空家に見えると不用心だからねえ」

だがその時、扶代の目が意味ありげに容一を一瞥（いちべつ）したことも聞いていた。

「女ってのは、勘が働くからね」

そんな容一に、保子はいった。

「いいじゃないの、知られても。知られてがたがたいわれたほうが……」

保子は心ひそかに復縁をねがっていた。

が、容一はさすがに、行方不明になった章子のこともあって、扶代と別れる気にもなれないようであった。

「ま、章子の生死がはっきりするまでは……万一あいつが思いつめでもして、自殺でもされると、世間体がわるいからねえ」

世間体という言葉に、容一は力をこめていった。

香也子はいま、あの家の話をツネと恵理子にまで話している。保子はミカンを皿に盛り、紅茶をいれて、静かに居間に戻った。

「あれからねえ、おばあちゃん、わたし時々あの家に行ってみるの。大雪の降った日には、やっぱり道があいてるの。でも、少しぐらいの雪ならそのままなのよ」

「じゃ、やっぱり誰もいやしないよ」

「そうかなあ。あの日はなんだかいるような感じがしたんだけどな。雪下駄の跡やら、男の靴跡やらあったもの」

「それはね、香也ちゃん、保険のセールスでも、化粧品のセールスでも、けっこう訪ねてくるものよ、家にいると。ね、お母さん」

保子がいった。

「そうだ、訪ねてくるもんだよ。男や女がね」

ツネは保子に相槌を打ってから、ふと考える顔になって、

「そうかい、下駄の跡や男の靴の跡がねえ」

と、保子の顔をじろりと見た。保子はひやりとしたが、

「とにかく心配することないわ。章子さんでもそこに住みついているのならともかく、何もふしぎなことないじゃないの」

と、さりげなく笑った。ツネはかすかに口を歪めて、

「空家にはいると、妙な心持ちになるなんて、落語か講談で聞いたことがあったよねえ」

と小さく呟いた。恵理子はハッとして保子を見た。保子は視線を伏せて、ミカンの皮を剥きはじめた。

五

香也子を送って恵理子は暗くなった外に出た。雪がちらついていてあたたかい夕暮れだ。北国の冬は、雪のふる日があたたかく、晴れあがった日は骨身を刺すような寒さとなる。雪雲が寒波を遮断するのだ。あたたかい布団のように。

いつもは車を呼んで帰る香也子が、珍しくバス通りまで歩いていくといった。香也子は、必ず姉の恵理子が送ってくるだろうと、計算したうえでそういったのだ。ミンクの毛皮のショールをふんわりと肩にかけ、新日本髪を結った香也子は、少女雑誌の口絵にあるような可憐な姿だった。

「ね、お姉さん。西島さん、もう東京から帰ってきたんでしょ」

昨日がご用始めである。暮れから東京に行っていた西島は、三日に帰ってきた。が、恵理子は香也子を警戒していった。

「帰ってらっしゃるでしょうね」

「わたし、椅子をひとつ頼みたいんだけど」

困惑気味の恵理子の表情を、香也子は楽しむように眺めた。

「でも、もう今日は、会社は退けたわ」

「じゃ寮？　どこ、西島さんの寮？」

「そこよ」

しかたなしに、恵理子は川向こうの寮を指さした。いくつもの窓から、明るく灯がこぼれている。太い氷柱（つらら）が一本、軒から長く垂れさがり、窓の灯に光っていた。

「あら、あそこ？　お向かいじゃないの？　行ってみたいわ、わたし」

香也子は自分のきもの姿を西島に見せたいのだ。

「駄目よ。あそこは会社の寮よ。男の人ばかりがいるの。そんなところに女の子が訪ねて行くなんて……」

「あら、寮はプライベートなところでしょう。それなら女友だちが訪ねて行ってもいいじゃないの」

「いけないわ、香也ちゃん。そんなことをしちゃ」

「じゃ、お姉さんは一度も西島さんのところを訪ねたことないの」

「そんなご迷惑なことなんか……」

「へえー、古風なのね、お姉さんって。わたしのお友だちなんか、彼の部屋にちょいちょい遊びに行って、泊まってきてるわよ」

「わたしと西島さんはね、そんなおつきあいじゃないの」

「あら、じゃ、どんなおつきあいなの?」

香也子は歩みをとめた。

「どんなって……」

「でも、キスぐらいしたんでしょう」

恵理子は静かに首を横にふり、歩み出した。

「あら、まだキスもしていないの、お姉さんたち」

「そんな……あのね、香也ちゃん」

いいかける恵理子の言葉をさえぎって、

「お姉さん、恋愛って、肉体関係をもつことでしょう?」

「ちがうわよ」

「ちがわないわよ。章子さんと金井さんだって、宿に三泊もしたのよ。うちのお父さんだって小母(おば)さんだって、ちゃんと認めてるわ」

「恋愛は肉体関係をもつとはかぎらないのよ、香也ちゃん」

「へえー、つまらないじゃない。キスもしないなんて、そんなの恋愛じゃないわよ」

再び香也子は立ちどまって、厳然といった。

「香也ちゃん、あなたほんとうに恋愛って、肉体関係をもつことだと思ってるの」

「じゃ、お姉さんはそう思っていないの？」

いつもながら、人けのない通りだ。左手は人家が疎らに並び、右手は細い川が雪に埋もれている。素枯れてくろずんだよもぎや黄色い枯葦が、対岸の水銀灯に照らし出されている。

「思っていないわ。恋愛は愛することだと思うの」

「愛するから、体も愛し合うんでしょ」

困ったように恵理子は、香也子の新日本髪にきらめく赤いかんざしを見た。

「香也ちゃん、これは大事なことだから、少し静かなところでお話ししない？　木工団地に喫茶店があるの。とても素敵な喫茶店よ」

「行ってみたいわ。でも、西島さんのお部屋のほうに行ってみたいな、わたし」

形のいいあごで、毛皮の感触を楽しむようにしながら、香也子はいう。

「ね、香也ちゃん」

二人は右に折れて小さな木の橋を渡った。橋を渡ると木工団地である。いつもは、機械のうなりの絶え間ない界隈だが、正月五日の今日はひっそりとしている。高く積んだ製材の上に雪が積もり、木の匂いが漂っている。

「香也ちゃん、わたしと西島さんはね、恋愛とは肉体が結びつくことだなんて、考えてはいないの。わたしたちの愛は、お互いを高めるような愛でありたいと思ってるの」

「愛が高まれば、どうしたって、体の関係をもつじゃない」

香也子は笑った。

「お互いを高めることと、そのような愛の高まりとはちがうわよ」

「そんなことぐらいはわかってるわ。つまりお姉さんたちの恋愛は、プラトニック・ラブなんでしょ。ただ、目と目を合わせてじっと見つめ合っていれば満足なのね」

「ううん、それともちがうの。いろいろなことをお話しし合うのよ」

「つまり、自分に正直じゃないのね。ほんとうはキスだってなんだって、したいんでしょ?」

恵理子はかすかに吐息を洩らした。話をしようとしても、香也子ははぐらかすのだ。いや、あるいは話が通じないのかもしれない。だが恵理子はいった。

「わたしたちはね、香也ちゃん。結婚するまで体はきれいでいたいの。それぐらいの我慢もできないで、結婚という大変な生活にとびこむことはできないわ。体を愛することは、男の人にとって、相手が好きでなくてもできることなのよ」

恵理子はついこのあいだラジオで聞いた座談会を、思い浮かべながらいった。その座談会は、若者たちの青春放談であった。

「つまりさ、ぼくたちには恋愛なんてないんですよ。プレイですよ」

「そう。プレイだよね。文字どおりプレイボーイですよ。ちょっといかす女の子に会ったら、あの子と寝ちゃおうと、決めちゃうんですよ。だけど、女の子ってのは、愛だの恋だのって言葉が好きでしょう。君がいなきゃあ、ぼくの一生は駄目になるとか、なんとかいって、一緒に酒を飲んだり、ゴーゴーやってラリったりしてるうちに……」

「そう。ぼくもそうだ。狙ってはずれた女の子はいないな。愛してるっていえば、すぐに〝結婚してくれる?〟なんて。〝うん〟といえば、いちころですからね。なあに、結婚するなんていったって、出まかせですからね。だけどほんとに好きな子とは簡単には寝れないね。あれがふしぎだよ」

「同感、同感。ぼくもだよ」

聞いていて、ひどく淋しい青春だと、恵理子は思った。

西島は待つということが好きだといった。一つの製品を生み出すためには、醗酵(はっこう)の期間が大事なように、人生というものはすべて、待つ間に熟して行くのだといった。待つということは、明日を信ずることであり、明日に望みをもって生きることでもあるといった。好きだからといって、むやみに会ったり、たちまち肉体関係におちいるよりは、会いたい思いに耐えるその切なさが、恋愛の重さでもあるといった。僅か細い川をひとつ隔てたところに住んで、週に一度しか会わないというのは、大変な忍耐力を必要とするのだ。

「ぼくたちには、会うという自由もあるけれど、会わないという自由もある。そこがほかの人たちとちがうところだとぼくは思っている。会いたいから会うのなら、子供にもできる。でも、会いたくても会わない自由を行使するのは、ほんとの大人にしかできないことだ」

いつもそういっている西島の言葉を、恵理子は香也子に話した。香也子は立ちどまって笑った。かん高い声が、工場街に響いた。

「わたしこれから、絶対西島さんのところに行くわ」

笑ってから、香也子はいった。

六

「遅いな、香也子の奴」

テレビドラマを見ていた容一が、飾り棚の置時計を見た。青みがかった大理石でできた、長方形の電気時計だ。

扶代も、ちょっと時計を見た。もう十時である。夕食を終えてから二人はテレビの前にすわっていた。扶代はテレビの前にすわっていてもほとんど何も見ていなかった。ただ、章子のことだけを考えている。章子は死んだかもしれないと思うだけで、扶代はたまらなかった。が、容一はときどき声を立てて笑いながら、新春番組の落語や、それに引きつづくドラマを、もう三時間以上も飽かずに見ていた。絹子はとうにキッチンの仕事をかたづけて、自分の部屋に引きとっていた。

容一がテレビのスイッチを切りながらいった。

「香也子の奴どうしたんだ」

扶代は黙って立ちあがり、テラスのカーテンをあけて、そっと庭を見た。水銀灯が青く照らす中に、雪が静かに降っている。柔らかく積もった雪が、青く神秘的な色を見せている。

「どこへ行ったんだね、香也子は？」

再び容一の声がした。静かにふり返って扶代が答えた。

「知りませんわ」

「知らない？」

「ええ」

「知らないじゃ困るよ」

「だって、香也ちゃんは、わたしに断って外出することなどありませんわ」

「あいつも困ったものだ」

消したテレビを容一は再びつけた。

午前十一時ごろ、香也子は大きなふろしき包みを抱え、何もいわずに出て行った。それから三時間ほどして帰ってきた時は、新日本髪を結い、ふり袖を着ていた。美容室に行ってきたのだと、その姿でようやくわかった。めったに和服を着ない香也子だが、以前はいつも扶代にきものを着せてもらっていた。それが、今日は何もいわずに出て行き、美容室できものを着てきた。そのことが扶代の気持ちを重くさせた。

章子の家出以来、香也子の扶代に対する態度は黙殺であった。よほどの用事のある時でなければ口をきかなかった。それは扶代も同じだった。そんな香也子に、下手(したて)に出る気持ちは扶代にもなかった。香也子は、自分の手から最愛の章子をもぎとってしまった人間だった。だが、正月の晴れ着は、いつものように頼まれれば着せなければならないと、心構えはしていた。しかし、そんな扶代の気持ちを忖度(そんたく)することなく、香也子は美容室に行って、着せてもらってきたのだ。扶代は、香也子と自分の間が、全く断ち切られたことを感じた。僅かにつながっていたものが、ぶつりと音を立てて切られたのを感じた。

きれいに着飾って帰ってきた香也子を見ても、扶代は何もいわなかった。小憎らしい娘ながら、確かに香也子は愛らしく見えた。だが扶代は、そ知らぬ顔で絹子とクルミを割っていた。橋宮家の屋敷の一隅(いちぐう)に、一本のクルミの木がある。青い、大きな実が、秋ごとに豊かになる。そのクルミの実の落ちるのを待って拾い集めて土に埋めておく。何日か経つと、青い渋皮が腐蝕する。それを洗って保存しておくのだ。そのクルミの実を金槌で割り、中の果肉を小さなフォークで、小丼に落とす。それは、以前は章子の仕事だった。

章子はそんなことが好きな娘だった。そして章子は、このクルミを使って、よくパウンドケーキを作っていたものだった。だが、章子がいなくなった後は、誰もパウンドケーキなど作りはしない。扶代は、クルミで和(あ)え物を作るつもりだった。

「あーら、香也子さんきれいねえ。とてもきれいですわ」

クルミを割っていた絹子が、讃嘆の声をあげたが、扶代は一瞥(いちべつ)もしなかった。

「お母さんのところへ行ってくるわ」

香也子は、誰へともなく宣言するようにいった。その言葉が扶代の胸に刺さった。

（この子の母は、いま、自分から容一を取り戻そうとしている……）

自分が保子から容一を奪ったという思いはすでに扶代にはない。保子は自分勝手に家庭を放り出して、女丈夫の母親のもとに逃げ去った意気地のない女だと思っている。かつては、保子を追い出したうしろめたさが、扶代の胸にはあった。それがいつのまにか、扶代の胸から消えていた。

それは、容一が保子とともに交通事故を起こした日からであり、章子がこの家から姿を消した日からでもある。

香也子が、「お母さんのところへ行ってくるわ」と宣言したことを、扶代は容一にはいいたくはなかった。

三十分ほどして、再び容一はいった。

「香也子の奴、どうしたんだ、いったい？」

「………」

「心当たりはないかね」

「まだ、十時半ですよ、あなた」

怒りをおさえて扶代はいった。章子が家出をした日、容一はのんきに、保子を乗せてドライブをしていたではないか。もしあの時、保子と温泉などに泊まりに行かなければ、容一はすぐに章子の行方を突きとめ得たかもしれないのだ。いや、容一さえ家にいてくれれば、香也子がいい気になって、章子を絶望させることまでいわずにすんだのではないか。

「おふろにおはいりになったら?」

静かに扶代はいった。

「うん、お前も一緒にはいるか」

珍しく容一は扶代を誘った。扶代はちらりと容一を見、静かに頭を横にふった。

「わたし、今夜ははいりませんわ」

「そうか」

容一は立って浴室のほうに歩いて行った。扶代をふろに誘うのは、容一のサインでもあった。一緒にはいらないということは、そのサインに対する扶代の拒絶でもあった。今年はじめて容一が扶代を誘ったのに、扶代はそれを拒絶した。そのことが扶代自身を少し淋しくさせた。が、一方、小気味よくもあった。扶代はかつて、一度も容一を拒んだことはなかった。だが、拒むことによってしか、いまの扶代には容一に思い知らせることはできなかった。

七

少し長ぶろの容一がふろからあがってきた時、時計はもう十一時を過ぎていた。

「香也子は帰ったか」

ぼんやりとソファーにすわっている扶代を見るなり、容一はいった。

「いいえ」

「どこに行ったんだ、あいつ」

「保子さんのところにでも、お電話してごらんになったら」

乾いた声で扶代がいった。ちらっと扶代に目を走らせて、

「うん、あそこかな」

と、傍（かたわら）の受話器を取って、容一はダイヤルを回しはじめた。

電話帳も見ずにダイヤルを回す容一の横顔を、扶代はソファーにすわったまま、うそ寒い心地で眺めていた。

「おお、わしだ。うん、うん……いや、そうじゃない。香也子が今日、君んとこへ行かんかったかね」

いつも会っている語調である。そんな無防備なところが容一にはあった。

「何？　行った？　……で、何時ごろ帰ったかね……え？　四時半ごろ？　そんなに早くか」

赤の他人にたいする言葉づかいとは、まったくちがっている。

「香也子も困ったもんだ。あいつのすることは、危なっかしくって見ていられない。まるで雪びさしの上を歩いているようなもんだからね……まあ、そんなもんだ。……うん、いやどうも」

扶代は、容一の、雪びさしの上を歩いているようなものだといった言葉に、同感だった。雪びさしは、山の端などにできる雪のひさしだ。時折スキーヤーなどが、その雪びさしの上に立って、雪もろとも転落することがあると聞いている。

（転落すればいいんだわ、あんな子は。そして痛い目に遭うといいんだわ）

そう思う扶代に、容一はいった。

「いったい、どこを歩いているんだ、あいつは。四時半ごろ帰ったそうだ」

いらいらと、容一は部屋の中を行ったりきたりした。と、立ちどまって、

「整（ひとし）のところかな」

といった。

「整さんなら、こんな遅くまで、香也ちゃんを引きとめませんよ。少なくとも、電話をして

きますよ」

「それもそうだな。じゃ、いったいどこなのだ」

香也子には、友人らしい友人がない。こういう時、すぐに思い当たる何人かの友だちが、二人の胸に浮かんでこないというのは、香也子の交友関係の貧しさを物語っていた。

「香也ちゃんにお友だちなどありませんよ」

「それでも一人や二人はいるだろう」

不安げに、落ち着きなく部屋の中を歩きまわる容一を見て、扶代はかすかに笑った。こんな時間まで、つきあってくれる友人が、香也子にいるわけはない。だから香也子は、いつも帰宅が早い。帰宅が早いからこそ、容一はいらいら心配しているのだ。

「君は落ちついているねえ」

詰(なじ)るように容一がいった。扶代の唇に、再び冷たい笑いが浮かんだ。

「君は、香也子の帰りが遅くても、平気なのかね」

三度(みたび)扶代は冷たく笑って、

「あなたは、章子がいなくなっても、そんなにおろおろとはなさらなかったわ」

「…………」

「章子が死んでいるか生きているか、わからないというのに……あなたったら、あの子のために一度だって、立ったりすわったりして心配してくださったことなど、なかったじゃありませんか」

語尾がうるんだ。

容一は黙りこんだまま、テレビのほうをじっと見ている。が、テレビを見てはいない。容一の胸に、扶代の言葉が突き刺さった。が、心の中で、ふてぶてしくいい返す思いがある。

(血を分けた子供のほうがかわいいのは当たり前だ。それが何が悪い)

たとえどんな娘であろうと、香也子は容一にとって、かけがえのない娘であった。が、章子は、知らぬ男が扶代に生ませた娘であった。傍(そば)にいれば、章子もおとなしい娘で、かわいくもあった。が、いなくなったからといって、それほど辛くも淋しくもない。なるほど冷淡なものだと思いながらも、容一には、それがすべての人間の姿ではないかと、ひらきなおりたい気持ちがあった。

十一時半を過ぎ、十二時を過ぎても、香也子は帰ってはこなかった。幾度容一は、警察に交通事故の問い合わせをしようと思ったか、わからない。が、それも扶代の手前、我慢をしなければならなかった。片膝を絶えず小刻みに動かしながら、容一は幾度となく時計を見た。

「君は寝なさい」

「あなたこそお休みになったら。香也ちゃんはすぐ帰りますよ」

「帰ると保証ができるのか」

容一らしくなく、きびしい語調だった。

「保証なんて……とにかく帰ります。お休みになったら」

内心、扶代は小気味よく思っていた。自分の辛さが、少しは容一にもわかっただろうと思った。

一時半に少し前だった。ウイスキーを飲みながら、容一が待っていた時、玄関のブザーが無遠慮に鳴った。容一が飛び出して行った。扶代は、迎えに出ようか、出まいかと、ちょっと迷った。が、いたし方なく、ゆっくりと玄関のほうに行った。

容一がドアの鍵をあけると、香也子がふらふらとはいってきた。折角の新日本髪が崩れ、前かんざしがずり落ちそうになっている。

「香也子！」

一瞬、ほっとした表情になったが、

「こんなに遅くまで、どこに行っていた！」

怒声が飛んだ。

「当ててごらん」

香也子は笑いながら、容一の胸によりかかった。

「お前、酒を飲んでるな！」

「ほーんの少しね」

香也子は容一を押しのけるようにして、居間に歩いていく。コートを着、襟巻をしてはいるが、裾が片方長くなっている。ひと目で、どこかできものを着なおしたと知れた。

コートも脱がずに、香也子はソファーにすわった。

「何時だと思ってるんだ！」

「知らないわ、そんなこと」

まだ香也子は笑いながら、

「お父さん、まだまだ街には女の子が歩いてるわよ。お正月ですもの。若い子たちは遊びたいのよ」

「まあそれはそうだろう、若いころってものは、遊びたいもんだ」

帰ってきた安心で、いつもの愛想のいい父親に他愛なく返ってゆく。扶代は、その容一を見ながら、香也子の身に何が起きたか、容一はまだ気づいていないと思った。

「お父さんは、話がわかるわね」

「とにかく、早く寝なさい。これからは、遅くなる時は、電話をかけるんだぞ。心配で寝るともできないじゃないか」

「あら、心配したの、お父さん」

「そりゃ心配するさ、親だもの」

「じゃ、小母さんは心配しなかったわけね」

香也子はぬけぬけという。

「香也子！　心配だからこそ、扶代もいままで起きてたんだぞ」

香也子はちろりと舌を出し、

「あら、ほんと？　でも、小母さんが心配するはずないわ……。それとも、わたしも家出したと思ったの？　章子さんのように」

「………」

扶代は怒りをこらえて、香也子の乱れた裾に目をやっていた。

「くだらんことをいわんで、すぐ寝るんだ」

立ちあがる容一を、香也子が呼びとめた。

「お父さん、わたしが今日どこへ行って、何をしてきたか、知りたくないの」

「そんなことはあす聞く」

事なかれ主義の容一は、ここで扶代と香也子の間に波風の立つのを恐れた。

「あした？　あしたになったら、何もいわないわよ」

「いいたくなけりゃいわなくてもいい。無事で帰りゃそれだけでいいんだ」

「無事？　ちっとも無事じゃなかったわ」

香也子は声をあげて笑った。明らかに香也子は興奮していた。容一はちょっと不安げに香也子を見た。

「酔ってるな、お前」

「ビールの一本や二本で酔ったりはしないわ」

時には容一の酒の相手をして、香也子はウイスキーを飲むこともある。

「ね、お父さん。わたしね、今日、わたしの記念日にしちゃったのよ」

「記念日？」

いぶかる容一に、香也子はゆっくりと襟巻をとり、コートを脱いだ。

ことを察した容一が叫んだ。

「お前！　お前は！」

香也子の襟元は乱れ、帯はただ、ぐるぐる巻きにしてあるだけだった。きものの下前がさがり、上前がつりあがっている。

「お前は！」

「何を驚いてるのよ、お父さん。恋をしている若者たちは、みんなやってることよ。章子さんだって、やったことじゃないの。そんなに驚くことじゃないわ」

「誰だ!? 相手は」

「そのうち、紹介するわ。すごく素敵な人」

香也子は襟巻とコートを持って立ちあがった。

「香也子!」

容一の声に激しい怒気が含まれていた。

「何よ、怒ったら、わたしも家出するわよ」

香也子はいい捨てると、いささかの悪びれた様子もなく、部屋を出て行った。

八

恵理子の使う湯の音が、夜の浴室にひそやかな音を立てる。恵理子は、まろやかな胸のあたりを洗いながら、思うともなく香也子のことを思っていた。

香也子が西島の寮に行くといって、ついと恵理子のそばを離れ、駆けて行ったうしろ姿が、何か妙に哀れに思われるのだ。西島が、恵理子の愛する男性とわかっていながら、なぜ香也子は西島の部屋に行くといい出したのか。幼い時から、人の持っていたものは必ずほしがった香也子の性癖は、二十を過ぎても、まだなおってはいないのだろう。

香也子と別れて家に戻った時、西島から電話があった。

「いまね、君の妹さんが、ぼくの部屋を訪ねてきたんですよ。ぼく一人じゃなんですから、できたら君もきてくれませんか」

「まあ、ごめんなさい。お正月早々とんだご迷惑をおかけして」

ありありと、西島の迷惑な表情が浮かぶようで、恵理子は恐縮しながら電話の前で頭をさげた。

「いや……そんなことはありませんがね。ぼくは寮の友だちを刺激するのは……あ、ちょっとお待ちください」

受話器をおさえて何かいっているらしい声がしばらくつづき、

「いやあ、すみません。香也子さんを部屋に入れずに電話したもんですから、怒ったような顔をして帰ってしまいましたよ」

「どうしましょう、わがままな子で、ごめんなさい」

「いや、ぼくのほうが悪いんです。寒い廊下に立たせておいたんだから」

笑って、西島は電話を切った。

恵理子は足先を丹念に洗いながら、その時のことを思って、なぜか微笑したい思いであった。

（西島さんって、そういう人なんだわ）

やすやすと自分の部屋に異性を入れない西島の生き方に、恵理子はあらためて深い信頼を感じた。

さすがの香也子も、今後二度と西島の部屋を訪れることはないだろう。それにしても、すぐさま怒って帰って行った香也子は、なんと子供のような性格なのだろう。恵理子は、再び香也子が哀れに思われた。が、それでいいのだと思った。

洗い終わって、体に湯をかける。うすいピンク色の肌が湯を弾いた。青い浴槽に胸まで体を沈めながら、西島に、あらためていいようのない尊敬の思いが湧いた。きっと西島は、恵理子の妹だということで、すぐに追い返さなかったにちがいない。だから恵理子を呼びよせて、香也子と三人で語り合おうと思ったにちがいない。もしこれが他の女性なら、西島はきっと、部屋には入れずに、近くの喫茶店にでもつれ出すだろう。

そう思った時、恵理子はふっと、西島の親友鈴村（すずむら）の妹貴子（たかこ）を思い出した。昨年のうちにもう一度訪ねてくるという話だったが、なぜか訪ねてはこなかった。だが、そのうちに旭川にくるような予感がする。西島は、貴子をも自分の部屋に通さないのだろうか。はるばると訪ねてくる貴子を、部屋にも入れないということは、ありえないような気がした。

昨年の春、西島と貴子が、川向こうの土手の上をむつまじげに歩いていた姿が思い出された。あの時貴子は、西島の部屋にはいらなかったのだろうか。不意に恵理子は不安になった。が、それをふり払うように、恵理子は浴槽を出てシャワーを浴びた。少し熱めのシャワーが肌に突き刺さるようであった。

クリーム色のネグリジェを着て、浴室から出ると、何か話している保子の声が聞こえ、居間にはいると受話器を置く保子の姿があった。

「あら、いまごろお電話？」

時計はもう十一時を過ぎている。

「ええ、ちょっとお父さんからね」

保子は少しきまり悪そうに声をひそめたが、

「ねえ、恵理子、香也ちゃんたしか、四時半ごろ帰ったわね、今日」

「ええ、四時半ごろよ。それがどうかしたの」

恵理子は保子の傍にすわった。

「あなた、バス停まで送って行ったって、いったわね」

「ええ」

香也子が西島の寮を訪ねるといったことは、恵理子は母にも黙っていた。いったところで、しかたのないことだった。

「まだ、家に帰らないんだって。お父さん心配してたわ」

「あら、どうしたのかしら。もう十一時過ぎてるのに」

「ほんとにね。でも、お正月だから、お友だちの家ででも遊んでいるんじゃないのかしら」

「そうね、みんな遅くまで遊ぶっていうわよ。わたしのように、いつも家にいる娘なんて、いないらしいわ」

いいながらも、恵理子はなぜか不安になった。香也子は西島の寮から怒って帰って行ったという。西島の電話を、保子にいおうかどうかと、心が動いたが、恵理子は立ちあがった。

「とにかくまだ十一時ですもの、心配ないわ。お母さん早く休んだら」

「そうね。香也子だってもう子供じゃないんだから……」

「そうよ。じゃ、お休みなさい」

恵理子は二階の部屋にあがって行った。

（もしかしたら……香也ちゃんのことだから）

いったんは怒って寮を飛び出しても、すぐにけろりとした顔をして、西島のところに戻ってきたのではないか。西島も、いったん怒って帰って行った香也子が再び戻ってきたならば、気の毒に思って、どこか街にでもつれて行ったかもしれない。

（でも……それなら、わたしを呼んでくれるはずだわ）

やはり西島と一緒ではないと思った。だが念のために、西島に電話したほうがいいとも思う。といっても、西島を呼び出してもらうには、遅過ぎる時間だ。管理人はもう眠ったにちがいない。

恵理子は床にはいった。が、何か落ちつかない。やがて恵理子は起きあがり、靴下をはきスラックスをはいた。西島の寮は、すぐ川向こうにある。橋を渡るので、遠まわりにはなるが、それでも二百メートルほどしか離れてはいない。湯ざめしないように、帽子をかぶり、オーバーを着ると、足音をしのばせて恵理子は階段を降りた。階下はもう電気が消えて、ひっそりとしている。さっきまで起きていた保子も、床についたのだろう。

恵理子はこっそりと家を脱け出した。何か悪いことでもしているように、胸の動悸が高まる。夕暮れから降っていた雪が、いまは降りやんで、さすがに寒気が強かった。恵理子はオーバーの襟を立て、急ぎ足で西島の寮に向かった。

九

十一時半は過ぎていたが、まだ窓に灯の見える家が何軒かあった。橋を渡って恵理子は小走りになる。

西島の寮の前までくると、恵理子は走をとめた。上に五つ、下に五つ窓がある。西島の窓は、二階の真ん中の窓だった。電灯は消えていた。恵理子はかすかに眉をひそめた。十の窓のうち、電灯の消えているのは三つだった。どこかの窓から、男の大きな笑い声が聞こえた。

(西島さんはもう休んだのかしら)

西島は十二時前に寝たことはないといっている。一時に寝ることだって、少なくはないと聞いている。

(外出したのかしら?)

電灯の消えている窓を見あげながら、恵理子は淋しかった。ここにきたのは、香也子のこともあったがそればかりではない。あるいは西島に会えるかもしれないという期待もあったからだ。

(今夜に限って、早くお休みになったのかしら)

力なく恵理子は踵(きびす)を返した。と、向こうに人影が見えた。大股に歩いてくる男の影である。はっと胸をとどろかせて、恵理子は車庫の陰に身をよせた。

寮の門灯が明るい。その門灯の光に、積もった雪がしんと静まり返っている。玄関近くまできた時、男の顔がはっきりした。体形も歩き方も似ていたが西島ではなかった。男は恵理子に気づかずに、寮の玄関にはいって行った。

やがて階下の暗い部屋に電灯が点き、人影が映った。

それを見ると、やはり西島も外出しているような気がした。

恵理子は肩をすぼめて、その場を後にした。途端に、西島と香也子がいま、どこかに一緒にいるような気がした。

(そんなはずがないわ。西島さんならわたしを誘ってくださるわ)

そう自分にいい聞かせてみたが、なぜかそれが決定的な事実のような気がして、胸が騒いだ。

小山田整から聞いた話も思い出される。香也子は章子の恋人だった金井の車に乗って、金井を誘惑したという。

(金井さんと西島さんはちがうわ)

恵理子はそう思った。日ごろツネがいっていた言葉が、にわかに大きく胸に浮かんだ。

「男なんて、生ま狡い（なまずるい）もんだからね。どんな男だって、こと女に関しては、信用できませんよ」

そんなことはないと日ごろ思ってきた恵理子だったが、香也子が西島の肩に頬をもたせかけている姿さえ瞼に浮かぶ。一度瞼に浮かぶと、それは執拗に恵理子の胸から離れなかった。

玄関の錠をしめていると、

「誰かね!?」

引戸の陰で鋭くとがめるツネの声がした。一瞬ぎくりとしたが、

「恵理子です」

恐る恐る答えると、パッと電灯が点い（つい）て戸があいた。

「なんだい、恵理子かい。わたしゃ泥棒さんでもおいでなすったかと、びっくりしましたよ」

寝巻に毛糸の茶羽織をひっかけている。おそらく、トイレにでも起きて、玄関のあく音を聞き咎めたのだろう。

「こんな夜中に、どこに出かけて行ったのかね?」

オーバーを着た恵理子を、ツネは上から下までじろりと見た。

「ええ、ちょっと」

オーバーを脱ぎながら、恵理子は口ごもった。

「ええちょっとじゃありませんよ。まあ、こっちへおはいり」

ツネはさっさと居間にはいって行く。しかたなく恵理子は後につづいた。

「おすわり」

ツネの声がきびしかった。

「お前、いつもこんなふうに、夜中に人目をしのんで出ているのかい」

「ううん、ちがうわ。今夜はじめてよ」

「はじめて？　はじめてという証拠があるのかい」

「証拠なんてないわ、でも……本当にはじめてよ」

疑わしそうにツネは恵理子を見、

「じゃ、いまどこに行ってたんだね」

「西島さんの寮の前よ」

「寮の前？　いやだねえ。まるでさかりのついた猫みたいじゃないか」

容赦なくぴしゃりという。

「おばあちゃんたら……そんなんじゃないわ。実はね……」

恵理子はいいよどんだ。

香也子が行っていないかと、電話をよこしたのは容一である。そして受けたのは保子だった。交通事故の一件以来、ツネと保子の間に、以前にはなかった険しい空気が流れていることを恵理子は知っている。ふだんは表面には現さないが、ツネは頭から保子を信用しなくなっていた。初釜の相談でも、例年ならば、ツネと保子の間でなされるのだが、今年は恵理子にだけ相談していた。ツネの怒りがまだ解けていないのだ。容一から電話がかかってきたなどといえば、自分の寝た後にいつも容一から電話がかかってきているのではないかと、ツネは疑うにちがいない。ツネは早寝早起きなのだ。

「朝寝坊の茶人なんて、利休さんのころから、一人だっていやしませんからね」

ともすれば朝の遅い保子に、ツネは手きびしくいうことがある。とにかく眠りにつくのが早いのだ。

「実はねおばあちゃん、さっき高砂台の家から電話があってね……」

「何？　あのろくでなしからかい」

「ろくでなしなんて……章子さんのお母さんからよ」

「お前にかい」

「わたしにってことじゃないけど、香也ちゃんが行ってませんかって。それでね、もしかしたら西島さんのところかもしれないと思って、わたし行ってみたのよ」

「ふーん」

疑わしそうにいって、ツネは毛糸の茶羽織の襟をかきよせるようにした。居間の石油ストーブはつけっ放しにしているが、火は細めてある。恵理子は炎を少し大きくした。石油ストーブの煙突が、ちょっと風に鳴った。

すぐにストーブがあたたかくなった。

「ねえ恵理子、お前、いまの話ほんとだろうね」

「ほんとうよ」

電話を受けたのが自分で、かけてきたのが扶代だということだけは嘘だった。

「そうかい、ほんとかい。ねえ、恵理子、お前うまく嘘をいったつもりでも、おばあちゃんはね、お前より注連飾(しめかざ)りの下を、数多くくぐってきているんだよ」

恵理子の視線が泳いだ。

「恵理子、その電話は、十一時過ぎにきたとお前いったね。高砂台の娘がどんなに夜遅くなったからってね、あちらの奥さんが、ここに電話をかけてくるか、どうか、そんなことぐらいおばあちゃんにはわかっていますよ」

「…………」

「お前の母さんは、あのろくでなしの車に乗って、交通事故に遭ったわけだろう。向こうの奥さんにしてみれば、二人のよりが戻ったことを、ちゃんとご承知なんだよ。そんなところに、どうして電話などかけられるもんですか」

「……でも」

「でも何もありゃしませんよ。電話をかけてきたのは、あのろくでなしの男さ。そして電話に出たのが、うちのろくでなしさ。でもなかったら、恵理子がそんな嘘をいうわけがないだろ。お前が電話を受けたんなら、ちゃんと、お父さんからきたというだろうさ」

内心、恵理子は驚いた。ツネの推量どおりである。

「どうだい、おばあちゃんのお見通しのとおりだろう」

「ごめんなさい、おばあちゃん」

「いいよ、いいよ。お前はお前の両親をかばったわけだから。しかし情けないね。保子も娘にかばわれるようになったかね」

「……………」

「ま、そういうわけで、お前が西島さんの寮に行ったわけはわかるよ。たぶん、今夜はじめてだということもわかるけどね。じゃ何かい、香也子は、西島さんのところへちょくちょく顔を出していたのかい」

「ううん、そうじゃないの」

恵理子はしかたなく、香也子が西島を訪ねたいきさつを、手短に話した。

「ふーん、でいまは、西島さんが留守だっていうんだね」

「お休みになったかもしれないわ。こんな時間だから」

「しかし、こんな時間だから、どこかで遊んでいるということもあるわけだね」

ツネは柱時計を見あげた。十二時を過ぎていた。

「ねえ、恵理子。お前ね、ほんとうに男というものを信用しちゃいけないよ。かわいい妻子がいてさえ、他の女に手を出すのが男だからね。妻を泣かせて平気なのが男だからね。まして一人のときには、右の女に心が行ったり、左の女に心が行ったり……それが男ってもんですよ。ほれるんなら、それを承知でほれなさい」

いったかと思うと、ツネは、さっさと寝室にはいって行った。

揺り椅子

揺り椅子

一

香也子(かやこ)が夜遅く帰宅した日から三日経った。

あれ以来、香也子は一度も階下に降りてこない。容一(よういち)が行こうが、扶代(ふよ)が行こうが、決してドアをあけないのだ。むろん、マスターキーはあるにはあるが、無理にはいることのできない激しい拒絶を感じさせた。ただ一人、絹子(きぬこ)だけが香也子の部屋に入ることができた。飲み物や食事を絹子が運んで行くのだ。

いまも絹子が夕飯を運んで行ったところだった。いままでのところ、香也子はほとんど何も食べようとしなかった。ミルクか、みかんを少しとるだけだった。

容一は扶代と向き合って食事をしながら、全神経を二階に集中している。鮭の照り焼き、柔らかく煮こんだロールキャベツ、馬鈴薯をたっぷり使った野菜サラダ、好物を前にしながら、容一の動きは鈍い。そんな容一の様子を、冷ややかに眺めながら、扶代は鮭の身をほぐしている。

絹子が戻ってきた。

「どうだった?」

「今夜はご機嫌がいいみたいですわ。おいしそうねって、おっしゃっていましたから」

運び役の絹子の顔も明るい。

「そうか、そうか。じゃ今日はちゃんと食べるんだな」

容一はほっとしたようにいった。

「ええ、おあがりになると思います」

絹子も食卓についた。

「全く世話を焼かせる奴だ」

容一の箸の動きが活発になった。扶代はビールを容一のコップに注ぎながら、

「電気が少し暗くありません?」

と別のことをいった。扶代には、香也子が顔を見せないほうが、いっそ気楽でもあった。見ないですむものなら、一生見たくない顔である。生涯あの部屋に閉じこもっていてくれたら、どんなにありがたいかと思う。晴れ着の裾を引きずるようにはいってきた香也子を見た時も、扶代の心の中に、名状し難い思いが湧いた。それは喜びといってもよかった。

(ザマをみろ)

といった小気味のよさでもあった。香也子が幼い時に、実の母と別れたことに対して、

かつては扶代も、心やさしい痛みを感じていた。香也子がいかにわがままであり、自分たち親子に辛く当たっても、扶代の心から憐憫(れんびん)の情が全く失われたことはなかった。それが、章子(あきこ)の家出と同時に跡形もなく消えたのである。いや、それどころか、この世から消し去りたいほどに、憎い存在となってしまった。そしてその憎しみは、容一にも及びつつあった。

とはいっても、容一は夫である。もともと扶代は、容一の明るいやさしさに惹かれていた。容一が陰気になることはなかった。いつも陽気だった。人生の裏町を歩いてきたような扶代には、それがもっとも心惹かれる要素であった。保子とのことを思えば、許し難くもあるが、やはり容一は夫であった。憎しみと愛しさが交錯する。そしてそれが、いまは香也子によって憎しみに比重がかかっている。

「娘っていうのは……やはり女だな。どうもわからん」

容一は苦笑しながらビールをあおった。

「絹ちゃん、あしたでも電気屋さんに電話をしてね。螢光管(けいこうかん)が古くなったのかもしれないわ」

扶代は電灯を見上げた。

「全く女というのは、小さい時からわからんところがあるな。扶代なんかは、これでなかなか、女としては上等のほうだよ。変てこりんなところがないからな」

「殿方のほうが、わからないところがありますわ」

ようやく二人の話が噛み合った。その二人をちらちらと見ながら、絹子は食事をしている。絹子がこの家にきたころは、容一と扶代は仲のよい夫婦であった。一言半句でも、お互いの言葉にお互いが耳を傾けていたものだった。いまのように、容一の言葉を無視して、扶代が別のことを話すということはなかった。

「男はわかるさ。男のやることは単純だよ。女の複雑怪奇なのとはちょっとちがう。第一、男は無邪気だ。な、絹ちゃん」

絹子は黙って微笑し、立って冷蔵庫の中からビールを取り出した。扶代が傍（かたわら）の戸棚からコップを取り出し、先のビンのビールをそのコップにあけた。

「ほう、珍しいね、君も飲むのか」

「いけませんか」

「いやあ、大歓迎だよ」

容一は、扶代の絡むようないい方をさらりとはずした。

「大歓迎？」

ひっそりと扶代が笑った。

「果物をお二階にお持ちしましょうか」

銀盆の上に、みかんを盛った小さな籠を置きながら、絹子は扶代を見た。

「そうね、いただいたケーキがあるわ、それも持って行ってあげて」

「かしこまりました」

「いいよ、いいよ。絹ちゃんがご飯を食べてから行ったらいいよ」

容一が絹子をすわらせようとした。

「絹ちゃん、いいわよ、先に持って行ったほうが。タイミングがずれると、またご機嫌が悪くなるかもしれませんからね」

容一は黙った。扶代の言葉に刺がふくまれている。黙っていたほうが安全だと、容一はロールキャベツを食べた。

「うまい、君だね、味つけは」

「絹ちゃんですわ」

「君のお仕込みがいいんだね。君の味とそっくりだ」

「そうでしょうか。少し塩味が足りないようだけど」

容一はちょっと扶代を見たが、

「君、君はこの家にきて、何年になるかね」

と、真顔で尋ねた。

「さあ……」

「まあいい……いいさ。女が家庭で強くなるのはいいことだよ。うん、いいことだ」

容一はひとりごとをいい、ひとりでうなずいた。

絹子が二階から戻ってきた。

「あのう……旦那さんにいらしていただきたいって、おっしゃっていました」

「え？　わしに？　そうか」

すぐに容一は立ちあがった。

「お食事を終わってからじゃいけないんですか」

「うん、食べるのはいつでもいい。天照大御神がお出ましになるんだ。急いでご機嫌を伺いに行かなくちゃ」

容一は上機嫌で冗談をいった。扶代は目を伏せてビールを飲んだ。容一が階段をあがって行く音を聞きながら、絹子が箸をとった。

二

香也子はネグリジェを着たまま、ベッドの上にあぐらをかいて、ケーキを食べていた。

「おお！　ひさしぶりだな」

容一は揺り椅子に腰をおろした。背の高い揺り椅子は、ゆらゆらと動いた。

「しばらく。ご機嫌いかが？」

香也子がニヤニヤした。あぐらをかいている姿が、容一の目には人形のように愛らしく見える。

「若い娘のあぐら姿もいいもんだね」

容一は袂から、タバコを取り出した。

「ねえ、お父さん。わたし結婚してもいい？」

クリームのついた指を紙で拭きながら、香也子はごく当たり前の顔でいった。それは、明日札幌(さっぽろ)に行ってもいいかという程度の、軽い語調だった。あまりにも軽い語調に、容一は笑って答えた。

「この部屋は少し暑いね。暖房をきかし過ぎてるね。おや、三十度を越えてるじゃないか」

ベッドの傍の金色のひまわりの形をした寒暖計を見て、容一はいった。

「そうお？　暑いかしら」

ヒーターのメモリをさげて、

「え、結婚してもいいでしょ」

と再び香也子はいった。

「本気かい、香也子」

容一の顔が引きしまった。

「本気よ。わたしこないだの晩、初体験してきたんだもの」

「…………」

容一は顔を歪めて香也子を見た。飯の炊き方もろくにわからない香也子が、容一には不意に不憫に思われた。

「香也子、相手は誰だい」

「誰でもいいじゃないの。わたしが好きだと思うんだから」

「しかし、それじゃあお父さんとしても、ちょっと不安だよ。香也子の好きになった男が、必ずしも信用できるとは思えないからねえ」

「信用できるかどうか、そんなこと結婚してみなきゃ、わからないわよ、どんな男だって」

「しかしねえ、相手もわからずに、いきなり結婚したいといわれても、お父さんには答えられないじゃないか」

「相手が誰かはいいたくないの。誰だって似たようなものでしょう、男なんて」

「しかしねえ、結婚は一生の一大事だからね。香也子、人間は誰と同じ屋根の下にすむか、これは本当に大変なことなんだよ」

「ふうーん」

香也子はベッドの端に腰をかけ、足をぶらぶらさせてじっと容一の顔を見ていたが、

「お父さん、結婚して、相手がいやになったら、別れればいいでしょう？　お父さんたちみたいに」

「香也子！」

容一はうろたえた。

「次の人と結婚して、いやになれば、また別れればいいんでしょ。お父さんがそうするかどうかはわからないけれど」

香也子はニヤニヤした。

「香也子、お父さんたちには……お父さんたちの……またこみいった事情というものがあるんだ」

「いいわよ、そんなことを聞かなくても。ね、お父さん、お父さんは最初結婚する時、これはいい女だなあと思って、藤戸保子（ふじとやすこ）という女性と結婚したわけでしょう?」

「それはもちろんだ」

「お父さんがよ、これはまちがいないと思って結婚した人と、別れたんだもの、つまり、誰が見てもまちがいないと思われる人だって、どうなるかわからないわけでしょう」

「それは、しかし……」

「藤戸のおばあちゃんがいっていたわよ。橋宮という男は、まじめだし仕事はできるし、保子を一生幸せにできると思って結婚させたんだって。そのお父さんだって、よそに女ができたんでしょう?」

香也子の言葉にいささかの遠慮もなかった。容一は辟易しながらも、

「しかし、それとこれとはちがうよ」

「あら、どうちがうの」

「な、香也子、お父さんはね、自分が一度結婚に失敗したからこそ、お前にはわしの二の舞をさせたくないと思ってるんだ」

「いいわよ、わたし、お父さんの生きたとおりに生きたいわよ。わたしにはお父さんが理想の人なの。人間、一度ぐらい結婚に失敗してみなくちゃ、人生がわからないわよ」

「馬鹿なことをいいなさい、馬鹿なことを!」

「あーら、まじめよ。わたし、お父さんを見ててそう思うもの。最初から同じ人と結婚してたら、お父さんそんなに苦労しないですんだでしょう。でも、人間、苦労しなければ育たないっていうじゃない? お父さんは苦労したから円満な人間になったわけでしょう」

香也子は巧妙だった。

「香也子には参るな。な、香也子、そんなことといわないで、お父さんにその青年と会わせてくれないか」

「いやよ!」

切り捨てるようにいい、香也子は窓に寄った。冬の夜空に、星が青く光っている。三つ並んだオリオンの星座も見える。

「いやって……どうしていやなのかねえ。お父さんはお前の親だよ。どんな娘だって、結婚の相手を見せもしないで、結婚を許してくれなんて、いいはしないよ」

「…………」

「それとも、お父さんのいうことは無理かねえ。おそらく、誰が聞いても、無理とはいわんだろうよ」

容一はつとめておだやかにいった。内心容一は、香也子に尋ねたいことがたくさんある。

あの夜、お前はどこに、誰といたのか。その男は、どんな家庭の息子なのか。年齢は幾つか。職業は何か。いつ、どのようにして知り合ったのか。結婚するつもりなら、なぜその男は香也子を送ってはこなかったのか。この三日間、部屋にこもって、何をしていたのか。などなど、聞きたい言葉はのどまできている。それをあえて問わないのは、章子の例があるからだ。

章子の時以来、容一にとって娘というものは、得体の知れないものになった。あのおとなしく、素直そうだった章子でさえ、いきなりぱっと家を出た。実の母の扶代にさえ、なんの連絡もしてこないそのあり方が、容一にはふしぎでならないのだ。といって、死んでしまったとも思えない。もし死んでいるとしたら、娘というものはますますわからないものだというよりしかたがない。そのわからない娘の、香也子も一人なのだ。

香也子は、章子や恵理子（えりこ）とちがって、いいたいことをいい、したいことをする娘だ。胸にこもっているものはないはずのように思われるが、何をしでかすかわからないという点では、香也子はいちばんその危険性を持っている。香也子には、「待てしばし」がない。突如として行動を起こす。すべてが衝動的である。章子でさえ家出をしたのであれば、香也子はさらに何をしでかすかわからないと、容一は内心おびえている。

大勢の社員を抱えて、会社を経営している容一には、突如として何をしでかすかわからぬ娘を持っていることは、絶えず凶器をちらつかされているような思いでもある。

(困ったことになったものだ)

相手もわからずに、うっかり結婚を許すわけにもいかない。といって、許さぬといえば、香也子は何をするかわからない。しかたなく容一はいった。

「そうだねえ、香也子のことは、お前を生んだお母さんにも、よく相談してみよう」

香也子がくすりと笑った。

「あら、お父さん、よかったわね。お母さんと会う口実ができたじゃない」

「そんな、馬鹿な」

「でもね、お父さん。わたし別段、無理矢理お父さんに許してもらわなくてもいいのよ。もう子供じゃないんだもの。結婚したければ勝手にするわ」

「そんなお前……」

「世間体が悪いんでしょ。章子さんが家出した、わたしも男のところへ逃げてったじゃ、お父さんの面目まるつぶれですものね」

「そうだよ、お父さんの身にもなってほしいよ」

「でもその前に、わたしはわたしの身になっていわなくちゃあ。だあれもわたしの身になってくれないんだもの。ね、お父さん、わたしをこの家から花嫁姿で出したかったら、許すといって」

　容一は口を歪めた。

「いやになれば、すぐに戻ってくるわ。そして、二度目の人を探すわ」

「…………」

「お父さんだって、二度目の人とうまくいってるじゃないの。でも、前の人とも会ったりしてさ。もしかしたら、二度目の人と別れるつもり？」

「ば、馬鹿をいいなさい」

「ま、三日間ゆうよしてあげるわ。わたしだって馬鹿じゃないんだもの。ちゃんとした人を選んだんだもの。許すとさえいってくれれば、紹介するわ。よくよく藤戸のお母さんや、恵理子姉さんとも相談しておいて」

　香也子はさもおもしろそうに、ケラケラと笑った。

三

今日はツネの出稽古先の初釜である。そこは、旭川では名を知られた病院長の家だった。市内の病院長夫人たちが五、六人集まって、ツネの稽古を受けている。ツネはそういう場にあって、ひときわ立ち勝った貫禄があった。稽古はきびしいのだが、性格が陽性なので、そうした夫人たちにも人気がある。

ツネの出稽古の日は、朝から保子(やすこ)がそわそわとしている。容一とよりを戻してからは、容一にツネの出稽古の日を教えてある。容一はその日にはころあいをみて、電話をかけてくる。いまも保子は、電話を心待ちにしながら、長襦袢の半襟をかけ替えていた。

恵理子が部屋にはいってきた。暮れに作ったパンタロンをはき、藤色の華やかなブラウスを着ている。

「あら、どこかへ出かけるの?」

「ええ、今日、ちょっと西島さんと」

「あら、だって、今日は土曜日じゃないでしょ」

「今日は特別なの」

　恵理子はにっこりと笑った。西島と映画を見に行く約束があるのだ。今日は午後から西島の会社の新年宴会で、西島は早めにそこを脱け出すという約束だった。

「困ったわ」

　保子はちょっとすねたように恵理子を見た。容一から電話がかかってきたらすぐにも出かけようとしている保子には、恵理子の外出は困るのだ。ツネが外から電話をかけてきた時、誰もいないとツネの機嫌が悪い。特に、厳寒の冬は、火の気を断つことはできない。ストーブを消すと、寒がりのツネはたちまち不機嫌になる。といって、ストーブをつけたまま外出すれば不用心である。

　不意に電話のベルが鳴った。傍にいた恵理子が手を伸ばした。

「わたしが出るわよ」

　耳に持って行こうとした恵理子の手から保子は奪うように受話器を取った。恵理子はちょっと保子を見たが、素直に受話器を渡した。

「藤戸でございます」

　保子の声を背に、恵理子は洗面所に、化粧で汚れた手を洗いに行った。と、茶の間から、保子の呼ぶ声がした。

「恵理子！　お電話よ、西島さんから」

あわてて恵理子は茶の間に戻った。

「もしもし、恵理子ですけど」

「ああ、西島ですが……悪いんだけど、急に用事ができて……ちょっと、どうしても会わなきゃならない人ができて……」

「まあ！　じゃ……」

「うん、ぼくも困ってるんだけど、新年宴会が終わったら、社長と一緒に深川まで行かなきゃならなくなったんです」

恵理子はふっと、あの夜の暗かった西島の窓を思い出した。

「わかりました。あのう……西島さん、五日の夜、どこかにいらっしゃいました？」

「五日？」

「ええ……あのう、香也ちゃんがお訪ねした日ですけど……」

「…………」

一瞬、西島の声が途切れた。が、

「ああ、あのひとがきたのは五日でしたか……あの夜は、ちょっと友だちと出ましたが……」

「お帰りは遅かったのね」

「なぜ？」

「だって、わたし、西島さんの窓の下まで、十二時ちょっと前に行ったんですもの」

「そんなに遅く？　いったいどうしたの？　ぼくはあの夜一時過ぎに帰ったんですよ」

「まあ！　一時過ぎに？」

「何かぼくに用事でしたか、あの夜」

「いいえ、ちょっとお目にかかりたくなって」

「それは残念だった。じゃ、今日は悪いけど、今度の土曜、午後六時、いつものところで……」

電話が切れると、すぐに保子がいった。

「どうしたの？　出かけなくなったの？」

恵理子はうなずいた。保子の顔に、ほっと安堵の色が流れた。その表情に、恵理子はいいようもない淋しさを覚えた。母は自分自身の都合だけを考えている。娘の自分にたいしてなんの同情も示さなかったことが淋しかった。

と、再び電話のベルが鳴った。保子の手が素早く伸びた。恵理子はストーブの傍に坐った。レモン色の炎がストーブの窓にゆらめいている。

「もしもし、藤戸でございます」

急に気どった声になった。

「ええ……ええ……あら、まあ香也ちゃんが。ええ、え、どうしたのかしら？　ええ、ええ、じゃ、すぐ行きますわ」

艶めいた保子の声を、恵理子は背中に聞いた。

「ええ、恵理子ですか、ここにいますよ。恵理ちゃん、お父さんから電話よ」

恵理子はすっと立って行って、受話器を受け取ると、畳の上に坐った。

「明けましておめでとうございます」

「いやあ、おめでとう。元気かね、恵理子は」

あたたかい容一の声音が、恵理子をやさしく包むようだった。

「ええ、元気です。お父さんは？」

「お父さんは、さんざんな正月さ。困ったことができてね」

「章子さんのこと」

「いや、章子も章子だが、今度は香也子がね」

「あら、香也ちゃんが？」

「うん、詳しいことは電話じゃなんだが……ほら、このあいだ、香也子の奴遅かっただろう。そっちにも電話したから聞いたと思うがね」

「ええ、それが？　帰ってこなかったの？」

「いや、一時ごろ帰ってきたんだよ。帯をぐるぐる巻きにしてな」

「え？」

一瞬なんのことか、恵理子にはわからなかった。

「とにかく、そのことでお母さんに相談があるんだよ。ところでどうだ？　お小遣いはあるか」

「洋裁をしてますから」

「しかしお正月だからね、わしからもお母さんにあげとくよ」

「いいんです、わたし」

「いいよ、取っておきなさい。親というものは、あげたいもんだ。じゃ、そのうち、また恵理子とも食事をしようかね」

受話器を置くと、保子はもう自分の部屋で着替えをしている様子だった。

「ねえ、恵理子、困ってしまうわねえ、香也子にも」

恵理子が保子の部屋にはいって行くと、保子は小豆色の小紋の前を合わせながら、眉をひそめた。

「どうしたんでしょう？」

「お父さんの言葉じゃ、初体験したんですって」

「まあ!」

「一時過ぎまで、どこに誰といたか、わからないんですって。どうしても相手の名前をいわないんですって」

「一時過ぎまで」

恵理子はハッとした。あの夜、西島も、一時過ぎに帰ったと聞いた。偶然であろうか。

「とにかく行ってくるわね、重大事件よ。あ、おばあちゃんが帰っても、お父さんのところに行ったっていわないでね」

帯をやや下に結んだ保子の姿は、小粋に見えた。恵理子は黙ってうなずいた。生みの親が、娘のことで出かけて行く。ごく当たり前のことが、秘密に扱われねばならない。そのことも、若い恵理子の心を暗くした。

「車を呼んで」

少しかん高い声でいう母に、「ハイ」と低く答えて、恵理子はダイヤルを回した。

四

「お珍しいですこと」

小料理屋〝菊天〟のおかみは、容一の待つ小部屋に保子を案内しながらいった。保子はちょっと顔を赤らめた。近ごろは、こんな小店で会うよりも、ホテルなどで会うほうが多い。今日は事が事だけに、容一もホテルは避けたのだろう、と思いながらも、保子の体に不満な思いが宿っている。

保子が部屋にはいると、おかみはすぐに戻って行った。

「新年早々、大変なことになってね」

いきなり容一はそういった。

「半月ぶりね」

保子は容一ほどに、香也子のことに驚きも心配もしてはいない。香也子も年ごろである。適当な時期がくれば、恋愛もするだろうし、肉体関係も持つだろう。なぜ容一があわてて自分を呼んだのかと、心の中では思っていた。

「大変なことかどうか、わかりませんよ。あるいは、とってもおめでたいことかもしれないじゃないの」

黒いベルベットのコートをたたんで片隅に置きながら、保子はにっこりと笑った。

「笑いごとじゃないよ」

手酌で先に始めていた容一は、銚子を保子に差し出しながらいった。保子は両手で形よく盃を持って、

「おしるしだけよ。お母さんに知れると怖いから」

と酌を受け、つづいて容一に保子が酌をする。

「おめでとうございます」

「ま、おめでとうといっておこうか」

二人は明るい電灯の下で盃をあげた。

「とにかくね、相手の名前をいわずに、いきなり結婚を許せっていうんだよ」

容一は事の次第を語って聞かせた。

「あの子らしいわねえ」

話を聞いただけの保子は、ひとことでそういい、かえっておもしろそうに笑った。

「君は、心配じゃないのかね」

不満気な容一に、

「ねえ、あなた、あの子はね、わたしたちの子供ですけど、親でさえ手に負えない娘ですよ。どちらさまにもらっていただいても、うまくいくはずのない娘ですよ」

そこに天ぷらが運ばれてきた。ぴんと張った赤い海老の尾が、生きのよさを語っている。

容一はむっつりと口に盃を運んだ。

「今日はしばれなくて結構ですわね」

小女（こおんな）がいったが、容一は黙って何かを考えている。

「ほんとうにねえ。こんな日はお客さまが多いんでしょう」

答えながら、ちらちらと保子は容一をうかがう。女が出て行くと、容一はむッとしたようにいった。

「保子、そんなにあの子は、どうにもならん子かね。もらい手がないほどかね」

容一には、親の欲目でそうとは思えない。ときどき突拍子もないことをしたりいったりはするが、それはいわば、肉親にたいする甘えやわがままであって、どこの家の娘にもあるものだと思う。顔だちからいっても、愛らしいし、人を恐れぬこだわりのなさは、あれはあれで、長所ではないかと思われるのだ。

が、小さい時に香也子を手放した保子には、そうは映らない。確かに、会うこともなかった十年の月日の間は、香也子はただ懐かしく愛しいわが子ではあった。しかし会ってみると、わが子でありながら違和感があった。すでにわが子ではない部分が多くあった。娘とは恵理子のような存在だと思っている保子にとって、香也子はいささか不出来な娘であった。

　長い月日の隔たりが、親子の絆を強靭にすることもあるが、他人めいたものにしてしまうこともある。香也子に会うたびに、保子は疲れるほどに気を使う。気を使いながら、ぴたりと意気の合うことはけっしてなかった。香也子は頭から保子をなめている。いや、嫌ってさえいるように思われた。ツネの茶の弟子の中には、香也子よりもっと心親しめる若い娘がいる。

「そうよ、あなた。そりゃあねえ、見た目にはかわいいわよ。きれいな子ですよ、香也子は」

　自分に似た香也子の顔を思い浮かべながら保子は言葉を継ぎ、

「でも、ひとつ屋根の下に住むには、むずかしい子ですよ、正直のところ」

「そんなことはないよ。あれでも、いいところはいくらでもある」

「でもあの子、扶代さんや、その娘さんとうまくいかなかったんでしょう」

「いや、それほどでもない。ま、章子は出て行ったが、それは章子自身の問題でね。婚約した男に失望したからだよ」

　容一には本当にそう思われた。

「それにね、生さぬ仲の親子が、うまくいっている話は少ないだろう。その点、うちはいいほうだよ」

「そうですか。それは、あなたと扶代さんが仲がいいからでしょ」

保子はちょっとすねたように容一を見た。

「いや、それとこれとはちがうよ。とにかくね、相手を紹介もせずに、結婚させてくれというのには参った」

「でもね、あなた、紹介したところで、結婚するといった以上、あの子はしますよ。あなたが気にいらなくても、する子ですよ。つまり、紹介されようが、されまいが、あの子が結婚すると決めた以上、許すよりしかたがないでしょう」

「しかし、名前も知らないでか」

「許すといったら、すぐに紹介してくれるわよ。あの子は、そんなことをいって、あなたを困らせているだけですよ。許すとおっしゃったらいいのよ」

「君は冷静な女なんだね、意外と」

呆れたように保子を見ながら、ようやく容一は天ぷらに箸をつけた。

「冷静というわけじゃありませんけれど、あの子には、そうするよりしかたがないと思うのよ。反対したら何をしでかすか、わからないでしょう。……おいしい天ぷらだこと」

「ふーん、こんな時でも、君はものがおいしいのかね」

「何をおっしゃってるんですよ。これはひとつの縁談ですよ。おめでたい話じゃありませんか」

「なるほど、わしはね、どこの馬の骨かわからんその男を考えただけでも、殴りつけたい気になっているんだよ」

「やはり、男親ですね、あなたも」

保子は身を乗り出して、

「ね、あなた、わたしの知ってる方でね、娘さんに縁談が持ち込まれるたびに、やけ酒を飲む方がいらっしゃるのよ。そしてね、縁談を持って行った人とは、しばらくの間口もきかないんですって。男親って、皆さんそうらしいわよ」

「わしはそうじゃないよ。ちゃんとした縁談なら受けて立つよ」

「香也ちゃんが見つけてきたんなら、一番の縁談じゃありませんか。とにかく、うんというよりしかたがないと思いますわ。もしかしたら、あの子は、反対されるのを楽しむつもりかもしれませんしね。あなたが承知したら、やめるかもしれませんよ」

「まさか」

「いいえ、そうですよ。天の邪鬼でしょう、あの子は。人の反対されることはして、人の賛成することは、したくなくなるのよ。それにね、香也ちゃんに紹介されてから、断るという手だって、あるでしょう」

「なるほど」

「とにかく、許すといったほうが、利口ですよ、この際。……騒動がもちあがらないだけ結構じゃありませんか」

「さすがは君だね。わしはただおろおろして、そこまでは考えなかったな」

「扶代さんはどうおっしゃったの」

「いや、あれにはまだ黙っている。何せ、章子が行方不明なんで、結婚の相談なんて、しづらくてね」

保子は微笑して、

「そう、じゃ、わたしにだけ相談してくださったのね。うれしいわ。ね、今夜、少しはゆっくりしてもよろしいんでしょう」

と、甘える語調になった。

「うん、まあな」

容一は手を伸ばして保子の手を取った。

五

保子と菊天で、香也子についての相談をした容一は、この二、三日気が楽であった。

(やはり母親だな)

容一は昼さがりの外を窓から見おろしながら、車の激しく行き交う街路を眺めている。社内の活気あるざわめきが社長室に伝わってくる。建材を運び出すトラックの響き、大声で何かいう作業員や運転手たちの声、ひっきりなしに鳴っている隣室の電話のベル、いかにも会社全体が働いているという感じだ。

(扶代とはちがうな)

こと娘たちのことになると、保子は最も身近な女に思われる。保子は扶代のように、香也子について、当たらず障らずのことはいわない。容一は両手をうしろにまわして、煙のように路面を這う雪を見る。

今朝は零下二十度はあったろう。寒気の鋭い日特有の現象で、車が走ると、その前後を、煙の這うようにして、細かい雪が路上を舞うのだ。太陽が白くぼんやりと、雪の奥にかすかに見える。

保子に相談して以来、容一はいかにも香也子にひとつの縁談がもちあがったにすぎないような気持ちになった。あのわがまま娘が結婚したいという相手なら、まず経済力はあるはずだ。ぜいたくに馴れた香也子に、手鍋さげてもという、そんな殊勝な気持ちがあるはずがない。たぶん、学歴もあるだろう。高慢な香也子は学歴や体面を重んずる娘だ。問題は相手の人柄だが、香也子がほれるほどの男であれば、包容力があるのではないか。勝手気ままに生きてきた香也子は、誰の前にあっても気ままだ。その香也子に、快さを与える男性は、おそらく包容力も忍耐力もあるはずだ。

そんなことを容一は思いながら、いま出て行くトラックに目をやった。あれは確か、冬休みの間に内装する、ある私立学校の講堂の化粧板のはずだ。昨日から、トラックに何台も運び出している建材と同じだ。

トラックが出て行くと、思いは再び香也子に帰った。

(結婚を許す、といってやろうか)

もし香也子の火遊びならば、容一の許可を得ただけで満足し、結婚のことなど忘れてしまうだろうと、保子はいった。

(保子の奴……)

白いなめらかな保子の肌を思い浮かべながら、容一は自分の椅子に戻った。腕を組んで、椅子の背にもたれた容一は、扶代と保子を思いくらべた。

自分の手中にあるというものは、おもしろくもないものだ。いま、容一の手の中にあるのは扶代である。が、保子は、藤戸ツネの支配の中にある。元の妻とはいえ、扶代の目や社会の目をしのばなければならぬ仲である。それが保子を貴重な女に思わせた。

(馬鹿なものだなあ、俺も)

なんで扶代などに手を出したかと、十余年前の自分の所業が悔やまれてくる。世間の男たちは、いつも妻に飽き、辟易し、ぶつぶつ文句をいっているが、一旦別れてみると、そのよさがわかるはずなのだと、このごろ容一は思っていた。

容一は都合よく忘れている。自分がいかに保子との結婚生活に気づまりな思いをしたか。朝から晩まで、保子は手を洗えの、こぼれたものは食べるなだの、口をゆすいでから接吻しろだのと、小うるさかった。絶えず家の中が、保子によって異常なまでに拭き清められていた。つるりと滑りそうな廊下に、腹を立てたことも、一度や二度ではなかった。何ひとつその辺には置かず、全部戸棚に収めてしまう台所は、かえって空屋のように味気なかった。

そんなことに苦しめられた日々さえ、容一は遠い昔のこととして、懐かしくさえ思うようになった。保子とよりを戻してからは、特にその傾向が強くなった。

いまの保子は、以前の保子とは、どこかちがっている。それは、保子が女盛りの四十代の女になったということでもある。容一と別れての、十年余りの孤閨（こけい）が、容一にたいして激しい執着を保子に持たせていた。以前の保子は自分本位であったが、いまの保子は容一を喜ばせることに全力を傾けていた。

それが短い逢瀬の間にも、容一には感ずることができた。髪の結い方、きものの着方から、話題の端々まで、以前になかった心の使い方が表れていた。特に、病的だった潔癖さが、会うごとにしだいに影をひそめた。

保子はいつも、扶代という人間を頭に置いて、容一に対しているようであった。それは、妻の座に安んじていたころの、保子にはないものであった。そしてそれらが容一には、保子をいかにも愛すべき女に思わせた。

(女も変わるな)

ニヤニヤとした時、電話のベルが鳴った。受話器を取り上げると、交換手が、

「お嬢さまからです。おつなぎします」

と明るい声で告げた。容一はちょっと眉をひそめ、

「ハイ、つないでください」

と受話器を持ちかえた。

「お父さん？　わたしよ」

香也子の声がした。

「どうした。電話をよこすなんて珍しいじゃないか」

内心身構える思いで、しかし言葉だけはくだけた調子でいった。

確かに、香也子が会社に電話をかけてくることはめったにない。会社に電話をかけてくる時は、だいたい金がほしくなった時だ。が、今日は、時が時だけに、何をいい出されるかと、容一はいくぶん不安に思った。

「あのねえ、お父さん。なんの電話だと思う？」

「さあてなあ、またお小遣いちょうだいか。今月は、お正月のお年玉をたっぷりあげたからねえ、まだあるはずだろう」

「ええ、まだあるわ。そんなことじゃないわよ」

「じゃ、いったいなんなんだね」

「白っぱくれないでよ。こないだ三日経ったら返事するっていったじゃない」

「ああ、結婚のことか」

「ひどいわ、お父さんったら。そんないい方ってないわよ。わたしにとっては、一生の一大事よ」

「お父さんにとっても、一生の一大事だよ」

「それなら、ああ、結婚のことか、なんて簡単にいうわけないじゃないの」

「いや……まあお父さんとしてはだねえ。お前のお母さんと話し合って、許すことに決めてたもんだからねえ」

「あら、ほんと⁉　ほんと？　お父さん」

躍りあがるような声が耳に伝わった。

不意に容一は、自分が今まで許すといわなかったことが、ひどく横暴だったような錯覚をおぼえた。そんな感じを与えるほど、香也子の声は喜びに満ちていた。

「ほんとだよ。香也子の選ぶ人なら、まちがいないだろうと思ってね」

いくらでも優しくしてやりたい思いをこめて、容一は答えた。

「ありがとう……うれしいわ」

珍しく、香也子の声が涙にうるんだ。

「ところでだね」

容一も、ふっと胸の熱くなる思いになりながら、言葉をつづけた。

「なんという青年かね、相手は？」

「今夜、家にきてもらうことにするわ」

きっぱりと香也子はいった。

「ほう、今夜か」

「そうよ、会ってちょうだい、お父さん。……それからね、お父さん。おねがいがあるのよ、香也子」

「ああいいとも。なんだね」

「新婚旅行はね、アメリカにやってほしいの」

「アメリカ!? それはまた……」

ぜいたくな話だと、出かかった言葉を容一はおさえた。どうせかわいい香也子の一世一代の新婚旅行なのだ。アメリカであろうと、ヨーロッパであろうと、財力のあるうちに、旅をさせてやりたい思いが湧いた。

娘は香也子と恵理子だけなのだ。遺産相続を受ける権利のある香也子が、自分の生きているうちに、少しぐらい金を使ってもかまわないではないかと、容一は寛容な気持ちにもなったのだ。それは、保子への愛と、いま、涙ぐんで喜んだ香也子への愛でもあった。

ついこのあいだ、三日も食事をせずに手こずらせたことや、乱れた姿で帰ってきた夜のことなど、容一はいまは忘れていた。

「そうだな、一世一代のことだものな。扶代とも相談してやってやるよ」

「うれしい！　やっぱりお父さんだわ。話がわかるわあ」

明るく笑って、

「ありがと、お父さん。それからね、頼みついでに、もう一つおねがいがあるの」

「なんだね、まだあるのかね」

「あの章子さんに建てた家ね。どうせ章子さん帰ってこないでしょ。あれ、わたしにくれない？」

「う？　あの家か。……あれはねえ、章子にやるっていったんでねえ……。章子がもし帰ってきたら、あげちゃったよじゃ、どうもねえ……」

「あら、くれないの。だって、章子さんいつ帰ってくるかわからないじゃない。家が古くなってもったいないわ。章子さんが帰ってきたら、帰った時にまた建ててあげたらいいじゃないの」

たちまち香也子の声が不機嫌になった。

「じゃねえ、香也子には香也子に、建ててやるよ」

「いいわよ。わたしはあの家がほしいの。くれなきゃくれないでいいわよ」

ガチャンと電話が切れた。

六

夜の八時に、香也子の結婚相手が訪ねてくるということだった。容一は、午後の会議を早めに切りあげ、夕食会には欠席して、早々に家に帰った。

香也子は白いセーターに純白のスラックスをはき、胸に大型の真っ赤なペンダントをさげていた。口紅と同色のその赤は、香也子によく似合っていた。

(どんな男だろう)

食事を終わった容一は、幾度も時計を見る。どっしりした大島つむぎを着こんだ容一は、いかにもひとかどの実業家に見えた。が、今日ほど容一にとって不安な日はなかった。

扶代も、一応は客を迎えるために着替えをすませていた。なんとなく緊張した空気が橋宮家に漂っている。

八時になった。が、当の相手は現れない。十分を過ぎた。

「遅いな」

最初にいったのは容一だった。

「途中で交通が渋滞することだってあるわ」

香也子が弁護した。

八時半になった。香也子がいらいらと、玄関のほうに行ったりきたりしはじめた。

香也子が玄関のほうに行っている間に、容一はそっと扶代にささやいた。

「こないかもしれないな。この様子では」

扶代は黙って容一の顔を見ただけだった。

「こないんなら、こないほうがいいな」

容一は本心をいった。今夜その男が現れなければ、その男の香也子に対する意思が明白となる。きてくれなければ、やがては何ごともなかったように、元にかえるのではないか。

香也子がまた玄関から戻ってきた。

「変ねえ」

「どうやら、約束の時間を守らない男のようだな」

「そんなことはないわ。絶対八時にくるっていったのよ」

「電話をかけてみたらいい」

どんな男かわからないが、不意に容一は、いい加減に弄(もてあそ)ばれたかもわからぬ香也子が哀れになった。その男がもし今夜こなければ、香也子は単に男に騙されただけのことになる。それではあまりに香也子がかわいそうだと、容一は思いはじめた。

妙な男など現れないほうがよい、という気持ちも本当なら、香也子のために、一刻も早く現れてほしいという気持ちも、嘘ではなかった。

「ひどいわ。もう九時になるじゃない」

八時四十五分になった置時計を見て、香也子はぷいと部屋を出て行った。階段をあがる足音がし、自分の部屋のドアを閉めたらしい音が、バタンと大きく響いた。

とその時、玄関のブザーが鳴った。ハッと浮腰になった容一と扶代は、絹子より先に玄関に出た。

扶代がすぐにドアをあけた。玄関にはいってきた男を見て、容一も扶代も唖然とした。

「先日はどうも」

金井政夫がニヤニヤと、それでもややばつの悪そうにふたりを見た。

「君か!? うちの香也子の……」

あまりのことに、容一は二の句がつげなかった。

「ま、香也子さんに押しまくられて、こんなことになりました」

俄(にわか)にひらきなおって、金井はふてぶてしく笑った。扶代は凝然と見つめたまま顔色もない。

「章子に逃げられたからって、今度は香也子か」

「いけませんか」

金井はポケットからタバコを出して口にくわえた。と、いきなり扶代の手が金井の頬を打った。金井の口からタバコが落ちた。

「何をするんです！」

「出てお行き！　恥知らず！」

扶代の目が黒い炎のように燃えた。その途端、うしろで香也子の声がした。

「何をするのよ！　金井さんはわたしと結婚するのよ。小母さんには関係ないでしょ！」

「香也子！　お前という奴は」

容一が呆れて香也子を見た。

「何よ、お父さん。許すといったじゃない。それなのに、玄関に立たせたまま、失礼じゃないの」

香也子は金井の手を取って部屋に上げようとした。と、その香也子の頬を、扶代が殴った。はじめて扶代は香也子を殴ったのだ。香也子がよろけた。

「何をするのよ！」

扶代に詰め寄ろうとする香也子を、容一が羽がいじめにした。

「貴様は帰れ！　貴様は！」

容一もいきなり立った。

「どうなってんのかな、この家は」

金井は三人を順々に見、

「社長さん、今日はどんなことがあっても、必ずきてくださいよといわれたから、ぼくはやってきたんですよ。招いておいて帰れはないでしょう。え？　そうじゃありませんか」

「貴様を呼んだ覚えはない」

「へえー、そうですか。なんだい香也ちゃん、結婚の許しをもらったから安心しておいでって、いったじゃないか」

「結婚の許しはもらったのよ。それなのに、何よお父さん！　許してくれたのは嘘だったの？」

「こいつとの結婚を許した覚えはない」

「嘘よ！　誰と結婚してもいいって、いったじゃない！」

いい争う二人をひややかに見て、金井はドアを開きながらいった。

「香也子、後でおれんとこにこい。いいな」

ドアがしまった。

香也子は容一の手をふり払って叫んだ。

「お父さんの嘘つき！　小母さんの意地悪！　なんでわたしの結婚を邪魔するのよ」

「香也子、こともあろうに、金井なんかに……」

「金井なんかにとは何よ。あの人と章子さんとの結婚を許したのはお父さんじゃない？　立派な男だといったのはお父さんじゃない？　章子さんならよくて、わたしならどうして悪いの」

香也子のいい分は支離滅裂だった。

いつのまにか、傍から扶代の姿が消えていた。香也子は呆れる容一を見上げていたが、身をひるがえすように、そのまま外へ飛び出した。

七

「香也子！」

容一はあわてて香也子を追って出ようとした。と、不意に冷ややかな扶代の声がした。

「あなた、どこへいらっしゃるの？」

容一はギョッとしてふり返った。奥に引っこんだはずの扶代が思いがけなくうしろに立っていたからだ。

「香也子が……」

みなまでいわせず、言下に扶代がいった。

「何もあわてることはありませんわ。行き先はわかっているのですもの」

容一は玄関のドアをあけた。雪がちらついているのが、街灯の及ぶ限りに見えた。が、容一は思いなおしたように、すぐにドアを閉めた。確かに香也子の行き先は金井のところだと知れている。が、それが容一を思いとどまらせたのではない。扶代の言葉の、氷のような冷たさが思いとどまらせたのだ。

容一はむっつりと、二階の寝室にあがって行った。扶代がつづいた。部屋にはまだ、夜具は敷かれてはいない。真ん中に紫檀の小さな座卓があった。容一はその座卓によりかかるようにして坐った。その前に、扶代が端然と正座した。

二人共黙っていた。寒い冬の夜、森閑として音もない。しばらくの時間が流れた。扶代は微動だにしなかった。容一は袂からタバコを取り出した。香也子はいまごろ、高砂台(たかさごだい)の下の国道まで出て、車を拾っていることだろう。香也子の行動は容一の胸にありありと想像できた。が、いま目の前に端然と坐っている扶代の心の底は、容一にもわからない。

いまだかつて、容一は扶代を冷たい女だと思ったことはない。が、いましがた、

「何もあわてることはありませんわ。行き先はわかっているのですもの」

といった扶代の語調の冷ややかさは、容一の胸を刺した。その言葉には平生の扶代のやさしさはみじんもなかった。

いま、とりつくしまもないほどに、端然と目の前に坐っている扶代に、容一はいうべき言葉を探していた。

扶代の怒りはもっともだと思う。章子の婚約者であった金井を、臆面もなく香也子はつれてきたのだ。しかも、金井は、章子に使った経費を書き出して、請求にきたような男ではないか。金井も金井なら、香也子も香也子だ。まるで狂気の沙汰ではないか。

（それにしても金井の奴……）

世間知らずの香也子が、金井に適当にまるめられたとしか思えなかった。

「寝るか」

黙って向かい合っていてもしかたがないと、容一は扶代にいった。

「寝るんですって？　あなた、おやすみになれるんですか、こんな時に」

突っ返すような語調に、容一はたじたじとなって、

「全く、香也子の奴も、何を考えてるのかなあ」

「存じませんわ。わたしの生んだ子じゃありませんから」

驚いて扶代を見る容一に、

「わたしの子でなくてよかったわ」

無表情に扶代がいった。

「扶代……まあ、お前がそういいたくなるのもわかるがね」

つとめておだやかに答えて、容一はタバコをもみ消した。

「あら、おわかりになるんですって？　わたしの気持ちがおわかりになるのですか」

「わかるさ、そりゃあ」

「じゃ、わたしがいま、何を考えているとお思いになって？」

「香也子と金井に腹を立てているんだろう」

「それだけじゃありませんわ」

「このわたしにも腹を立てているんだろう」

「それだけじゃありません」

「じゃ……」

保子の名をいおうとして、容一は口をつぐんだ。いつもの扶代とはちがう。金井の出現に、扶代は気が転倒しているのだ。金井を殴り、香也子を殴ったその扶代の心の渦に、まきこまれまいと用心しながら、

「怒るのはもっともだよ」

と容一は吐息まじりに答えた。

「わたしがいま何を考えているか、あなたにはちっともわかっていらっしゃらないのね」

「わかっているつもりだよ」

「うそよ。何ひとつわかっていらっしゃらないわ」

「…………」

「あなた、わたしはたったいま、あなたを刺し殺して、死にたいと思っているのよ」

「そんな、馬鹿な……」

容一は笑ったが、扶代を見て口をつぐんだ、扶代の目が変に底光りをしている。容一は

ひやりとした。錯乱寸前ではないかと思った。唯一人の娘、章子の行方は依然としてわからない。その章子の婚約者金井と、香也子が結婚するという。それは扶代にとって、耐える限界を越えた事態かもしれなかった。章子がこの家にいるのなら、たとえ金井が香也子と結婚するとしても、扶代はまだ耐え得るかもしれない。そう思った時、容一にも痛みのほどがわかるような気がした。

「あなた、あなたは、わたしという女は、どんなことをされても、じっと従って行く女だと思っていらしたのでしょう」

「そんなことはない。ただ、いい女房だと思ってきたよ」

「いいえ、なんの文句もいわない、いえ、文句もいえない意気地なしの女だと、見くびっていらしたのよ。それが香也子にもうつったのよ。だからあの子はわたしと章子を馬鹿にするのよ」

「全くあいつは困った奴だ」

「いいえ、あの子だけではありませんわ。あなただって困った人よ。去年の交通事故の時だって、わたしは何もいわなかったわ。あなたはあのことを、いったいどう思っていらしたの」

座卓の向こうに、微動だにせず正座していた扶代の姿勢が崩れた。座卓に手を置き、前屈みに詰め寄るような姿勢を見せた。

「いや、あの時は……すまなかったよ。偶然、稚内で会って、一緒に車に乗ってきただけだよ」

「結構よ！　見えすいた嘘は」

座卓が扶代の体に押されて、少し動いた。

「いや、嘘じゃあ……」

「嘘じゃないとはいわせませんわ。わたしはそんなにぼんやりな女ですか。その後、いったい何度あの人と会っているんです」

「…………」

「香也子も香也子なら、あなたもあなたよ。親子でわたしを馬鹿にするのよ」

容一は黙って扶代を見た。扶代の目にただならぬ殺気が漂っている。

（この女、本当におれを殺すかもしれない）

一瞬、容一はそう思った。が、容一はまだ、どこかで扶代をなめていた。女というものをなめていた。

「わかったよ。しかしな扶代、おれは、そりゃあ女にはだらしないよ。保子に時々会ったりするいい加減な男だよ。会社の中にも、そんな相手が一人いるよ。若くてね、ぴちぴちした娘だ」

黙った扶代を見つめて、容一は腕を組み、座椅子によりかかった。

「このさいみんな白状するさ。秘書だよ。秘書の笹（ささ）ハマ子だよ。だがねえ扶代、わしがいちばん頼りにしてるのは、お前だけだ。いちばんかわいいと思っているのはお前だけだな。あんとは物珍しいだけだ。いまに飽きる」

「…………」

扶代の膝が、ぶるぶるとふるえているのを容一は知らない。

「扶代は別格だ。比較にならんよ。たとえ今後、ほかの女に迷うことがあっても、わしにとっては、お前だけが本当の女だ」

この言葉は、ついこのあいだ、保子にもいって聞かせた言葉だった。保子は他愛なく喜んで、体をすりよせてきた。だが扶代は、蒼白な顔を不気味に容一に向けているだけだった。

「扶代、もう怒るのはやめろ、夫婦げんかは犬も食わぬってな。ま、寝ようじゃないか」

女は寝ればなんとかなると容一は思っていた。扶代の怒った表情が凄艶であった。それが容一にはひどく新鮮に見えた。容一の顔に卑猥な表情が浮かんだ。

扶代は立ちあがって、その容一をじっと見おろしたが、黙って夜具を敷きはじめた。

八

扶代は階下に降りていった。扶代の腹の中は煮え沸（たぎ）っている。のこのことこの家にやってきた金井の顔や、金井と結婚するという香也子のふるまいが、腹に据えかねた。そのうえ、殺したいほどの憎しみに燃えている自分を娼婦のように抱こうとする容一にも腹を立てていた。こんな騒ぎの中で、自分を抱こうとする容一が、文字どおり獣のように思われた。香也子が飛び出して行ったというだけでも、ふつうの父親ならば、けっしてそのような気持ちにはなれないはずだ。死んだ母親の前で、女を抱いた話を小説で読んだことがあったが、いまさらのように、扶代には容一が不気味な男に思われた。その不気味さに、なぜ自分は気づかなかったのかと、ふしぎでもあった。

人間は、いったん事がある時、その真の姿を現すのかもしれない。いままでの橋宮家は、瀬に立つ波のような波は立っていても、このような大波はそう幾度もなかった。

章子の家出、容一の交通事故、そして今日の、金井と香也子の一件がそれである。この三つの事件は、一つ一つ独立しているようであって、独立してはいなかった。扶代にとって、そのどれもが耐え難かった。そして、事あるたびに、その痛みは強まるばかりだった。二乗三乗と、痛みが増すのである。

その痛みに耐える力にも、限度があった。伸びやかな性格を持っていた扶代も、事あるごとに、心がささくれだってきた。そうした扶代の心情にも気づくことなく、容一はいつもの容一であった。

容一という人間は、扶代にとって、生活力のある、寛容なたのもしい男のはずだった。それは、このような事件がなければ、あるいは一生そう思い込んでいたかもしれなかった。が、耐えきれぬまでに叩きのめされたいま、ようやく扶代は容一の本性が見えてきたのだ。

布団を敷き終わった自分を、抱きすくめた容一を突き放して、扶代は部屋を出たのだ。なぜこんな時、自分を抱こうとしたか、扶代は思っただけでも身ぶるいがする。

(あの男がいつも上機嫌なのは……)

それはけっして、寛容だからではなく、相手の痛みがわからないからだと、扶代は思った。

(結局は、自分のことしか考えないんだわ)

それにしても、金井の出現にあれほど腹を立てながら、なぜその後で自分を抱けるのか。そのことがなんとしても扶代にはわからなかった。

ソファーに腰をおろしたまま、扶代は不意に笑った。いや、笑ったというより、唇が歪んだというべきだった。

扶代はいま、ひとつの場面を思い浮かべたのだ。晩酌の酒の中に、青酸加里(せいさんかり)をいれ、それを飲んだ容一が倒れ、残りを飲んだ自分がその場に倒れている場面だった。

容一を殺すということは、香也子から父親を取り上げるということである。保子を、もとの独りに戻すことである。うとましい二人の女を、一挙に不幸におとしこむことである。章子を失って、生きる喜びを見いだすことのできない扶代にとって、容一を殺すということは、少しもむずかしいことには思われなかった。いつも酌いでやる酒に、ただ毒をいれればいいだけのことだった。それは、一杯のお茶を出すことのように、簡単なことに思われた。いまの扶代にとって、なんの決意もいらないことだった。

「でも……」

扶代は独り言をいった。

「それでは香也子に、莫大な遺産がいくことになるわ」

それに気づかずに、容一を殺してしまっては、大変なことになるのだったと、扶代は思った。香也子を一文なしにしなければならない。いまのままでは、あの恵理子という娘と香也子が、容一の遺産を相続することになるだろう。個人名義の不動産だけでも、この家と章子のために建てた家、そして郊外には千坪ほどの土地もある。山林もある。動産にしても、何億かあるはずだ。これを使いはたしてからでなければ、容一を殺してはならぬと思った。

（どうしたら使い切ることができるかしら）

扶代は絶望を感じた。扶代は実印を持っている。引き出そうと思えば、金は引き出せる。が、期日のまちまちな定期預金を引き出すだけでも容易なことではない。株券はある。不動産も売買しなければならない。そんなことは、生きている容一の傍で、できるはずのことではなかった。

（この家に火をつけるだけで、全財産が消えるのなら、簡単だけれど……）

香也子を一文なしにすることは、どんなに不可能なことかを、扶代ははじめて気づいた。莫大な金額の借金でも保証して、それを踏み倒してもらうより、しかたがないような気がした。だがそれは、あまりにも現実ばなれのした考えだった。

扶代は、自分がひどく浅薄（せんぱく）に思われた。無力に思われた。そして容一が、ますます怪物に思われた。容一を殺しても、容一の力は生きているような気がした。

（そうだ、香也子を無一文にするには……香也子も殺せばいいんだわ）

なぜそのことに気づかなかったのかと、扶代は笑いたくなった。香也子の飲むコーヒーに、毒をいれておけばそれでいいのだ。家族を殺すことはなんと簡単なことだろう。一人殺すことも、二人殺すことも、そうむずかしいことではないと思った。

「……でも、殺したんじゃ、おもしろくないわ」

香也子は生きていて苦しんだほうがいいのだ。死んでしまっては、苦しみも何もない。

そう思った時、電話のベルが鳴った。

(香也子かもしれない)

傍にある受話器に手を伸ばす気にはなれなかった。

絹子があたふたと部屋にはいってきた。

「いいわよ、出なくても」

「ハイ」

絹子は不安そうに蒼白な扶代の顔を見つめた。

「どうせ、香也子からよ。出ることはないわ」

「ハイ」

ベルは執拗に鳴りつづけた。扶代は、受話器を持っていらだっている香也子の顔を思い浮かべながら、電話機を見つめている。

「あのう……奥さま、何かあたたかいものでも……」

絹子が心配そうにいった。

「いいわ、いらないわ。心配しないで絹ちゃん、おふろにはいっておやすみ」

「奥さまは、おふろは?」

「はいりたくないの」

電話はまだ、執拗に鳴りつづけている。いまごろこの家に電話がくることは、ほとんどない。会社から夜電話をよこすことも滅多にない。たとえ会社からであっても、今夜の扶代は、誰とも話などしたくなかった。電話に出ないために、会社が損をしようがしまいが、かまわなかった。一瞬、会社が火事ではないかと思ったが、火事なら火事でかまわないと思った。容一が駆けつけて、火事が消えるわけでもない。

しかし、あまりにも電話は執拗に鳴りつづけた。香也子の声なら、そのまま電話を切ればよいのだと、扶代は手を伸ばして受話器を取った。

「もしもし、ぼく整」

ひどく急きこんだ整の声だった。

「あら、整さん、しばらくね」

「叔母さん！　生きてましたよ。章子さんが！」

いきなり噛みつくように整はいった。

寒風

寒　風

一

丘の陰の小さなモーテルのベッドに、いま、金井政夫と香也子は横たわっていた。窓は嶮しい崖に面していて、その崖の一部を部屋の灯りが照らしだしている。

窓のカーテンをあけたまま、二人はベッドの上に仰向けになっている。

金井の顔に淡い疲れの色が浮いている。ものうげな金井の表情には頓着なく、香也子はいった。

寒　風

「ね、いいことを教えてあげる」

香也子の足が、金井の足に触れた。

金井が香也子の家を訪ねて、扶代に頬を殴られてから七日ほど経った。あの夜香也子は、金井を追って家を出た。香也子の出てくることを予想した金井は、家の近くに車をとめて待っていた。その夜も、二人はこのモーテルに泊まったのだ。

そしてその翌朝、二度と帰らないという香也子を、家に帰したのは金井だった。

「馬鹿いうなよ。君があの家を出たら、もらうものも、もらえなくなるんだぜ」

金井は無遠慮だった。

「それもそうね。もらうものはもらわなきゃ、損よね」

「損なだけじゃないよ。あの女は、君が家出したら、せいせいして大喜びさ。あの女を喜ばせちゃならないよ」

「ほんとうね。わたしが出て喜ぶのは、あの人ね。わたし帰るわ。わたし帰って、じゃんじゃん悩ましてやるわ」

「それがいい、そのほうが利口だよ」

いいながら、金井は心の中で笑っていた。金井の目的は、香也子にあるのではない。香也子の持ってくる財産が目的なのだ。香也子から財産をとりあげたあとは、香也子を捨ててもかまわないと金井は思っている。それが無理なら、もっと金のある娘を物色すればよいのだ。金井はいま、英語塾の経営だけでは物足りなくなっていた。いや、資金さえ手にはいれば、英語塾などいつやめてもいいような気がしている。

英語塾などは、金井の物欲を満たすほどの仕事ではなかった。金井がいま新たに計画しているのは、サラリーマン金融であった。それをしようと心に決めたのはついこのごろだが、ふとひらめいたのはかなり以前のことである。最初のきっかけは、行きつけの銀行に金をおろしに行った時だった。忙しく働いている銀行員を見ているうちに、ふと銀行の持つ力

寒　風

を思ったのだ。考えてみると、その力は、安い利子で集めた預金者たちの金を回して得たものである。

どの銀行も繁盛している。ということは、金を借りたい人間がたくさんいるということだ。そう思いはじめると、新聞にサラリーマン金融の広告が、異様に多いことに気づくようになった。サラリーマン金融の利子は、銀行よりはるかに高い。それだけに危険も多いが、それは金井の欲望をそそるに充分であった。

しかし、金井はその通称サラ金を、自分一人ではじめる気はなかった。金井は最初から、少なくとも四、五人の社員を抱えた金融会社をつくろうと思った。金井は虚栄心の強い男である。やるからには、小さな一室に机を一脚置いて、ほそぼそとはじめる気はなかった。第一、借りるほうも、四、五人の社員を抱えた金融業者のほうが、安心ではないかとも、金井は考えた。だが、はじめから数人の社員を抱え、それ相応の貸事務所を借りるとなれば、千万や二千万の金ではできることではない。で、いまの英語塾の建物と土地を売ることも考えた。が、名義は親のものだ。

こうして最初の構想は、幾分小さくなったが、それでも社員の二人や三人を置いた金融業をはじめようという気持ちには変わりはなかった。その目的を達するためには、やはり香也子の父容一(よういち)の存在は、金井にとって大きかった。

だから、金井に必要なのは香也子ではなかった。章子でもよかった。いや、章子のほうが、家庭を築くうえにおいても、仕事に協力させることにおいても、都合のいい存在だった。章子は家事にも堪能で、無駄遣いをしない地味な性格だった。その点香也子は、家庭的な女性ではなく、金遣いも荒かった。だがその章子はいまはいない。

「ね、金井さん。いいこと教えてあげる」

天井を見つめていた香也子が、金井の肩に手をかけた。

「なんだい？　いいことって」

金井は気のなさそうに、安っぽいピンク色の壁紙を貼った壁に目を向けた。

「当ててみてよ」

「おやじさんが承知したのかい」

金井は香也子のほうに体を向けた。

「お父さんが承知したって、しなくたって、かまわないじゃない？　わたしたちはもう大人なんだもの」

(大人か、この小娘が)

金井は香也子のつやつやとした顔を見て、うっすらと笑った。

「じゃ、なんだい？」

「だから、あててみてよ」

「そんなことといったって、わからんな」

ぞんざいな語調だった。

金井は、香也子のいうことが、どうせ他愛のないことだろうと思った。香也子は、暗い窓を見た。夜の雪が、白い蛾のように幾つも吸いついてくる。

「あのね、金井さん……わたしに赤ちゃんが」

「できたのか」

みなまでいわせず、金井は香也子の肩に手を置いた。

「最後まで聞いてよ。赤ちゃんができたなんてことじゃないのよ。第一できるわけないじゃない。ついこのあいだじゃないの、こんなふうになったのは」

おかしそうに、声を立てて香也子は笑った。

「なあんだ、できたんじゃないのか」

安心して金井も笑った。

「ねえ、なんだと思う？　いいことって」

「なんでもいいよ、そんなこと」

「あら、知りたくないの」

香也子はじっと金井を見た。少し伸びた無精ひげが、金井の顔にかげりを見せている。その顔が、香也子にはひどく好ましく見えた。

「どうせ、流行歌手が別れただの、一緒になっただのって話だろ」

「まあ、馬鹿にしてるわね。そんなんじゃないわよ」

金井の表情を注意深く見守りながら、

「あのね、章子（あきこ）さんが見つかったのよ」

香也子はわざと、抑揚のない声でいった。

「えっ!? 章子が？」

金井はベッドの上に起きあがった。

「ほうら、驚いたでしょう」

いいながら、香也子の目に嫉妬の色が走った。

「驚くというほどじゃないけどさ」

金井は再び横になった。が、けだるそうないままでの表情は一変していた。

「あのね、金井さんがうちにいらしたでしょ。あのあと、わたしも飛び出したわね。そのあとに、整（ひとし）さんから電話がきたんだって。章子さんが見つかったって」

「整君から？」

ちらりと、複雑な表情が金井の頬をかすめた。

「そうなの。どうして章子さんは、整さんなんかのところに現れたのかしら」

香也子は、金井の章子に対する気持ちを探るようにいった。

「さあてなあ。それより、詳しく教えろよ」

金井が促した。

あの翌朝、香也子は家に帰った。が、扶代がいない。

絹子が興奮した表情で、香也子に告げた。

「章子さんが生きていらしたのよ。章子さんが」

章子びいきの絹子は、うわずった声でいい、家事も手につかぬふうであった。扶代は章子を迎えに、整の出張先に出かけたという。

整が、章子を見かけたのは、仙台のあるおにぎり食堂であった。仙台に帰るたびに整の寄る店で、そこには絣のきもののよく似合うおきゃんな娘がいた。酔って絡んだりする客にはにぎり飯を投げつけるような、きかぬ気の娘だった。が、それがかえって人気を集めることになって、店は繁昌していた。

三越の裏手にあるこの店のことは、整は幾度か香也子たちにも話していた。その店に、章子が働いていたのである。ということは、章子は、いつか現れるであろう整をその店で待っていたということにもなる。

もっとも、家を出た後の章子は、一途に死を思って彷徨したということだが、その間のことは章子自身にも記憶はさだかでないらしい。もしかしたら、一時記憶喪失にでもかかっていたのではないか。そんなことを整は電話で扶代に語ったという。

絹子からその話を聞いた香也子は、がっかりしたようにいった。

「なあーんだ、生きてたの」

が、絹子はそんな香也子の言葉も耳にははいらぬふうで、

「ねえ、香也子さん、それでわかりましたよね。記憶喪失なら電話のかけようもないですもの。章子さんは、記憶さえ喪失していなければ、奥さんのところに必ず電話してきたはずですよね」

といった。

すぐにも章子をつれて帰るはずの扶代は、一週間経ったいまも、まだ帰ってきてはいない。章子の気を引き立てるために、整と一緒に東京に出たということだった。

話を聞き終わった金井は、さすがに安堵の色を見せていった。

「なあるほど、章子の奴、生きていたのか」

横目で金井の顔を見ていた香也子が、

「うれしい？　やっぱり」

　と、少し体をはなした。

「ああ、そりゃあ、うれしいよ。目の前が明るくなったようだよ。心がうきうきしてきた」

　からかうように金井は答え、

「さてと、それじゃ、香也子にしようか、章子にしようか」

　と笑った。

「どちらでもお好きなように」

　香也子は動揺しない。

「自信たっぷりだね、香也子」

「だって、章子さんはもう、金井さんのことなんか、思っちゃいないわよ。整さんと仙台でどうにかなったんじゃない？」

「まさか。あいつはそんな男じゃないさ」

「え？」

　香也子はけげんな顔をした。

「彼はね、つきあいは浅いが、そんな男じゃなさそうだな。ふつうの男とは少し毛色がちがっているからな。それにあいつ、君のお姉さんに興味を持ってるみたいだったぜ」

金井は腹這いになってタバコに火をつけた。壁に、「ベッドの中でのおタバコはご遠慮ください」と大きく書かれた紙が貼られている。が、金井も香也子も、そんな貼り紙には目もくれない。

「ねえ、章子さん、帰ってくると思う?」

「さあねえ」

金井は、章子との思い出をたぐるようなまなざしになった。

「意外と帰ってくるかもしれないわね」

「もしかすると、小母（おば）さんと東京に住みつくかもしれないよ」

「うわあ、そうなったらうれしいわ。わたしの天下になるわ」

「君の天下か」

金井がニヤニヤした。

「そして、あの、わたしを生んだ人がはいりこんできたりしてね」

香也子はちょっと肩をすくめた。

「それはまずいよ」

「あら、どうして?」

「だって、そうなると、そのまたおふくろさんやら、君のお姉さんまで、ころがりこむかもわからんだろう」

「いいじゃないの、賑やかになって」

「そうはいかんさ」

金井がそういった時、隣の部屋にはいってくる男女の無遠慮な声がした。と思う間もなく、もう十一時を過ぎているというのに、携帯用のラジオだろうか、賑やかなロックをボリュームいっぱいにひびかせた。

二

飛行機の窓に、旭川周辺の山々が見えてきた。雲一点ない澄んだ冬空の下に、純白の大雪山がくっきりとその秀峰を現し、その右手につらなる十勝連峰もまた、銀色にまばゆかった。

扶代と並んだ章子が、窓に頬をよせて、久しぶりに見るふるさとの山を複雑なまなざしで眺めていた。

(この下に、あの人がいる)

金井政夫の姿が、さまざまなポーズを持って、章子の胸の中に現れては消え、消えては現れた。すでに全く縁の切れたはずの金井だが、章子にとっては、はじめての男性であった。その金井が、自分の胸に刻みつけた鋭い傷跡は、まだすっかり癒えてはいなかった。信じ切っていた金井に、裏切り行為のあったことは、章子にはその生きざまを変えるほど大きな衝撃であった。

雪をかぶった小さな家々を眺めながら、章子は涙があふれそうであった。このたくさんの屋根の下に、人々は不実な裏切りの思いを持って生きているのだろうか。愛し合うよりも憎み合って生きているのであろうか。そしていままた自分は、それらの人々の一人として、恨みを抱いて生きていかなければならないのだろうか。

機影が雪の野にかぐろく映るのを章子は見た。章子には、記憶を喪失した何十日かがあった。その間がいちばん幸せだったように章子は思う。記憶がもとに戻った時、章子は山形のブドウ園に働いている自分を発見した。ブドウ園の人々は親切だった。が、そこが山形と知った時、章子はふっと、仙台の街に出たいと思ったのだった。

仙台には、整の親たちがいた。整が年に一度か二度行く街が仙台だった。章子は痛切に、整に会いたいと思った。自分が心の底から頼りにしていたのは、整なのだと知るようにもなった。金井への恨みは消えないままに、整への慕情がひそかに育っていった。が、そのことに章子は気づきたくなかった。ただ、いつも自分をかばってくれた整を、自分は懐かしがっているだけだと思いたかった。その整が、章子のいるおにぎり食堂にはいってきた時の喜びを、章子は忘れない。

それにしても、記憶が戻った時、なぜ自分は、母の扶代に連絡をとらなかったのか。それは章子自身にも、説明がつかなかった。母の扶代が、香也子の父の妻であるという事実に、自分は心をとざしていたような気がする。母が、娘の自分よりも、夫の容一に近くいるように思われたのだ。

「誰が迎えにきているかしら」

扶代がいった。前の座席にいた整がふり返って、

「そりゃ、叔父さんがきてるでしょう。叔父さんは昨夜の電話で、必ず迎えに出るといってましたからね」

「橋宮だけならいいけれど……」

扶代は言葉を濁した。

空港の吹き流しが目にはいった。飛行機が大きく旋回した。十勝連峰が不意に左にまわったかと思うと、飛行機はまっすぐに滑走路を目がけて降下しはじめた。やがて飛行機は軽くバウンドして着陸した。

乗客が立ちはじめた。が、章子は飛行機がとまっても、最後まで坐っていた。

「章子さん、降りましょう」

整が促した。章子は不意に、このまま東京に逆戻りしたいような衝動に駆られた。が、いわれるままに、立ちあがった。

「よかったわ。ほんとうによかったわ」

幾度かくり返した言葉を、扶代はいままたいった。

タラップを降りると、鋭い寒風が肌を刺した。ゲートに近づいた時、思わず三人は立ち

すくんだ。容一の姿がなく、そこには香也子と金井の姿があったからである。

三

ゲート前に立ちすくんだ章子たち三人を見て、香也子は大きな声でいった。

「お帰んなさい、章子さん」

香也子は心地よげに笑っていた。扶代の体は小きざみにふるえ、章子の顔色も青ざめた。整が低くささやいた。

「相手にならないほうがいいですよ」

いったかと思うと、整は先頭に立ち、

「おう、ただいま」

と、ロビーにはいって行った。紺の背広を着た金井が、胸に腕を組んだまま、章子を見て意味ありげに笑った。整は無視して、章子の肩を抱くようにしながら、手荷物受渡所のほうに歩いて行った。扶代もその後につづいた。たちまち章子たちと香也子たちの間に人がはいりこんだ。ロビーの中は混雑していた。ロビーといっても、田舎の駅舎ほどの広さなのだ。そこにいま到着した客たちと、これから出発する客たちとが、見送り人出迎え人と一緒になって、あふれていた。いま着いた飛行機は、整備が終われば搭乗がはじまり、折り返し東京に向かって飛び立つのだ。

章子たちの傍に近づこうとする香也子の肩を叩いたのは、高校時代のクラスメート唯野六郎だった。旭川と東京を結ぶこのローカル空港には、いつきても何人かの知った顔に会う。いまも、香也子の前を通って行ったのは、松本市長と松井博物館館長だった。出発客の中にも、学者タイプの温和な紳士として知られる小檜山酒造の社長の顔が見える。

「あら、ロック、東京へ行くの？」

「ウフフフ、キブツさ」

「キブツ？　キブツって何よ、ロック」

「イスラエルのさ」

六郎は、隣の街へでも行くような顔をして、ニヤニヤと笑った。が、すぐに、

「あ、ここだここだ」

と、誰かを見つけたらしく、

「香也ちゃん、元気でな」

と離れた。

「狭いなあ旭川は。ここにきたら必ず知ってる人に会うんだから」

香也子は金井の腕に手をかけてぼやいた。金井は黙って、人々の肩越しに章子のほうを

見つめていた。

整が扶代と章子をかえりみていった。

「冬のロビーは混むねえ。寒いからみんなロビーの中にはいっちゃって」

だが、章子も扶代もじっとうつむいたままだ。二人は、いま見た金井と香也子の姿に大きな衝撃を受けていた。章子はまだ金井と香也子の関係を聞いてはいなかった。が、ひと目で二人の関係を知った。金井の腕に手をかけた香也子が、その肩に軽く頭をよせて、金井との仲を誇示していたからだ。章子は口の中に苦い毒薬でも注ぎこまれたような、胸苦しさを感じた。

金井が香也子を神居古潭(かむいこたん)で犯そうとしたということが、いま改めて事実として甦った。

(見せつけるために、わざわざここまでやってきたんだわ)

やはり旭川に帰ってくるのではなかったと思った。その章子の痛みを察する扶代の辛さはもっと切実だった。金井と香也子への憎しみに、全身が硬直する思いだった。

出発の遅れを知らせるアナウンスが、かしましくロビーいっぱいに鳴りひびく。荷物が受渡所に到着した。人々が荷台の前にひしめく。その混雑から少し離れた整が、章子と扶代に再びいった。

「叔母さんも章子さんも、いいかい、もう香也子になんぞふりまわされちゃいけないよ。無視するんだ、黙殺するんだ。口なんかきいちゃいけないよ」

扶代はうなずいたが、章子はぼんやりと何かを考えているようだった。

ようやく荷物を受け取って、外に出ようとする整たちに香也子が近づこうとする時、金井がいった。

「香也子も彼らと一緒に帰るのか」

「帰るわよ。どうして？」

「ぼくはあの車では帰らんよ」

「あら、六人乗りよ。みんなちょうどよく乗れるじゃないの」

「ごめんだよ、とにかくぼくはね」

「じゃ、わたしもやめるわ」

「ああ、そうしたほうがいいね」

香也子が車に近づいた時、すでに整たちは車の中だった。近よってきた香也子に、整が窓をあけていった。

「乗るの、君も？」

「ううん、わたし、金井さんと寄るところがあるの」

香也子はターミナルをふり返った。金井は姿を見せない。

「章子さん、わたしね、金井さんと結婚することになったのよ。聞いたでしょ、小母さんに」

章子は香也子に横顔を見せたまま、まばたきもしない。

整がいきなり窓を閉めた。車は静かにすべり出した。

香也子はムッとした。自分の言葉にいささかの反応も見せない章子の横顔は、香也子にとって意外だった。章子の顔は歪んでもよかったのだ。泣き出しそうになってもよかったのだ。が、章子の表情は、香也子の言葉も耳にはいらぬように見えたのだ。そのうえ、何もいわずに窓を閉めて車を出させた整の無礼にも腹がたった。

容一さしまわしの黒いキャデラックは、するすると丘の陰に消えて行く。後につづく何台もの車が、次々に丘の上から一台ずつ姿を消して行く。その向こうに、雪晴れのまばゆい上川(かみかわ)盆地が広がっている。盆地を囲むなだらかな丘もまた白一色の世界だ。

「馬鹿にしてるわ」

香也子はロビーの金井の傍に戻った。

「何がだい?」

「だってさ。迎えにきたわたしたちを置きざりにして行ったみたいじゃないの」

「こっちで勝手に決めたことだからね。何も文句をいうことはないさ」

「でもなんだか、馬鹿にされたみたい。一緒に乗ってってやればよかったわ」

「いや、ぼくはごめんだな。あんまりいい趣味じゃないよ、それは」

二人は赤電話の傍に寄った。空港には折悪しくハイヤーはなかった。電話でハイヤーを呼ばねばならない。が、赤電話の前には四人ほど並んでいる。その後ろに立った金井がいった。

「まだバスが出ないよ。バスにしようか？」

「バスに？　いやだわ、わたし」

香也子は口を尖らせる。

「しかし、ここから高砂台まで、二千円はとられるぜ」

「いやよ、バスなんて。二千円ぐらいどうってことないじゃない」

「じゃ、君が払うんだろうね」

「払うわよ、二千円ぽっち」

香也子はちょっと呆れたように金井を見たが、

「だけど、章子さんて、相当なものね」

「どうしてだい？」

金井はロビーの中の若い女性たちに、ちらっちらっとすばやい視線を送りながら答えた。サングラスをかけた芸能人らしい若い女性もいる。

寒　風

「だって、金井さんとわたしが結婚するっていっても、彼女まばたきひとつしないのよ」

「しかし香也子、そんなことをいう君のほうが相当なものじゃないのかい」

「そうかしら」

「そうかしらって、こうやって二人で出迎えにきたことだって、相当なもんだぜ。ぼくもまあ、ちょっとおもしろがって出てきたところはあるけどね」

「まあ金井さんったら、わたしのことばっかり、そんなこといって、やっぱり章子さんが好きみたい」

「好きも何もないさ、章子なんか」

そうはいったが、金井は内心、何か月ぶりかで会った章子に、新鮮な思いを感じていた。表情に陰影が出来、以前より章子は美しくなったような気がした。

いつのまにか、何人かが電話をかけ終わり、二人の前にいた若い女性が電話をかけはじめた。明るい鶯色の帽子と、同色のオーバーコートが、いかにも都会的であった。と、西島という言葉が、その女性の口から洩れた。香也子は聞き耳を立てた。

「ええ、西島広之(にしじまひろゆき)さんですけれど。いらっしゃるでしょうか」

明晰な語調に、積極的な性格が感じられた。傍で香也子が聞いているとも知らずに、若い女性は受話器を耳に押し当てている。うるんだ黒目がちの目が印象的だった。

「あ、西島さん。わたしよ、貴子（たかこ）よ。……ううん、東京じゃないの。いま旭川の空港に着いたばかりなの……ええ、兄は奇跡的に……温灸なんかも効いてるみたい。……突然でごめんなさい。わたしどうしてもお目にかかりたくて」

香也子の目の前で、貴子は心持ち上を向きながら、やや興奮して話している。

「あら、そうなの。会議なの。何時に終わるの……まあ八時ごろ？　じゃわたし、ホテルのロビーで待ってるわ。ええ、いつものニュー北海（ほっかい）ホテルよ。ええ、ええ……三K木工って、ずいぶん繁昌してるのねえ。とにかく八時半に待ってるわ」

貴子の電話が終わった。

ターミナルの前で、バスの警笛が鳴った。出発を予告する警笛である。あわてて貴子がバスのほうに走って行った。それを目で追いながら、香也子の表情はいきいきとしていた。新たな獲物が見つかったのだ。章子への関心が、いち早く新しい獲物に移っていた。

寒風

四

香也子は、空港からまっすぐ家に帰るのも業腹(ごうはら)だった。といって、忙しい金井につきまとってもいられない。青葉(あおば)でラーメンをとった後、金井と別れた香也子は、思い立つまま父の会社に現れた。容一は急用ができて、今日章子を出迎えることができなかった。車だけを差し回して、香也子に迎えに行くように命じたのだった。その車に、香也子は金井を誘って空港に行ったのだ。ちょうど金井の暇な午(ひる)の時間帯だった。

社長室には、容一の姿はなかった。

「急にご用ができて、お出かけになりました」

秘書の笹(ささ)ハマ子がいった。

「いいわ、お父さんが帰ってくるまで、わたしここにいるわ」

香也子にとって、父は留守でもかまわなかった。ただ家に帰りたくないだけのことだった。といって、今日は豊岡町(とよおかちょう)の恵理子の家にはいけないのだ。なぜなら、いま恵理子に会っては、香也子の計画が崩れるからだ。香也子は、恵理子に電話をかけようと思っているのだ。会うよりも、電話のほうがいいのである。

笹ハマ子が姿を消すと、香也子は父の椅子に坐ってみた。大きな回転椅子をぐるぐるとまわして、とまったところで机の上の受話器を取った。恵理子の家に電話をすると、コールサインが一つ鳴っただけで、いきなりツネの声がした。

「藤戸(ふじと)でございます」

もののいい方に品格があった。

「あら、おばあちゃん。わたし香也子」

「おや、香也子かい。あれから音沙汰なしじゃないか」

「……だってさ、なんだか行きづらかったのよ」

「そりゃそうだろうよ。人様の顔をちゃんと見ることのできないような生活をしてるとねえ」

「あらおばあちゃん。わたしそんなに悪いことしてないわよ」

「そうかねえ。夜遅くなってから、香也子はどこへ行ったろう、なんて電話がくるようじゃねえ」

「おばあちゃんったら……若い人たちはみんな、夜は遅いわよ。十二時だって一時だって、平気なのよ」

「しかしねえ、香也子。夜遅く帰るときは、待ってる人の身にもなって、遅くなりますぐらいの、電話をしたらどうかね」

香也子はなんとなくツネが苦手だ。ツネの語調はきびしくもあるが、どこか親身なのだ。あたたかさがあるのだ。そのあたたかさに、さすがの香也子も抗しきれないのだ。

「ね、香也子。おばあちゃんはね、このごろどうしてか、たてつづけに香也子の夢をみてねえ」

「あら、どんな夢？」

「それがさ、香也子が生まれたときの夢なんだよ。香也子は生まれた時、かわいい赤ちゃんでねえ。その時とそっくりの香也子が夢に出てきてね、おばあちゃん、というんだよ」

「あら、生まれたばっかりなのに？」

「そうなんだよ。生まれたばっかりなのに、おばあちゃんっていうんだよ。それが急に背が高くなって、腰をふってダンスをしたり、ケラケラ笑ったり、そんな変な夢なのさ」

「ふーん。そんな夢ばっかりみるの」

「そうなんだよ。どうしてかねえ。お前、腰ふってダンスばかりしてるのかい」

「腰ふって？　ダンスなんかしないわよ、おばあちゃん。いやねえ」

いいながら香也子は、金井とベッドの中にいる時の自分の姿をふっと思った。

「いやねえったって、夢だからね。おばあちゃんにもどうしようもありませんよ。とにかくねえ、香也子。今年こそちゃんとお茶を習って、落ちついた娘にならなければいけませんよ。おばあちゃんがいいおむこさんを探してあげるからねえ」

「おむこさん?」

再び金井の顔を思い浮かべたが、

「そうねえ、おばあちゃんにおせわしてもらうかなあ、わたし」

香也子は機嫌をとるようにいった。

「ほんとだね、香也子。しかしね香也子、結婚というのはね、抱かれたり抱かさったり、べたべたしてることじゃないんだからね。二人で力を合わせて、この世に尽くしていくことだからね。そのつもりにならなければ、結婚なんて、できませんよ」

「はい、わかりました、おばあちゃん」

香也子は適当に返事をしてから、

「あのう、お姉さんいる?」

「恵理子かい。いますよ。二階でウエディングドレスとやらを縫っていますよ」

「あら、お姉さんの!?」

「いいえ、人様のですよ」

保子(やすこ)はいないらしく、ツネが二階に向かって恵理子を呼ぶ声が受話器にひびいた。

しばらくして恵理子の声がした。

「もしもし、香也ちゃん? 心配してたのよ。元気なの?」

優しい声だった。しかし、恵理子は香也子にとって、競争相手の若い女性にすぎない。自分の及ばぬ恵理子の優しさを、香也子は以前から憎んでいる。が、声には出さず、

「お姉さん、大変なことが起きたの。で、ねえ、ぜひ会ってほしいのよ。今日ニュー北海ホテルのロビーで待ってるわ。そうね、八時ごろにね」

「大変なことって、なんなのよ香也ちゃん？」

「会ってから詳しく話すけど……。お姉さん、章子さんが帰ってきたの知ってる？」

「あら、章子さん生きてたの？」

「そうなの、それで困ってるの。とにかく八時にロビーにきてね」

「ホテルのロビーなんて……それより、いますぐこちらにいらっしゃいよ。おばあちゃんやお母さんと、みんなで聞いてあげるわ」

心配そうな恵理子の声に、香也子はニヤリとしたが、そ知らぬ顔で、

「それがそうはいかないのよ。これからわたし、会わなきゃならない人があるの。その人にも会ってほしいの。わたしと結婚する人なんだけど」

「ほんと!?　じゃ、香也ちゃん結婚するの。よかったわねえ。じゃ、つれてらっしゃいよ」

「でもその人、お姉さんだけになら会ってもいいっていうの。その程度の段階なの。その人はホテルで会いたいっていうんだもの、お姉さん会ってちょうだいよ」

寒　風

「いいわ。じゃ八時ね。ニュー北海ホテルね。わかったわ、何も心配しないで、安心しているのよ」

電話を切った香也子は、ほくそ笑(え)んだが、次の瞬間、しまったと思った。たったいま、ツネに結婚相手を探してほしいといったことを思い出したからだ。

五

寒　風

雪晴れの日は、夜になると気温が下がる。頬が寒気に刺されるようだったが、香也子は気にもとめない。恵理子と八時に会う約束をしていたが、七時半にはもうニュー北海ホテルの回転ドアを押していた。

ロビーにはいると、右手にクローク、つづいてフロントがあり、左手の一段あがったところに、ひっそりと暗いコーヒーラウンジがあった。香也子は明るいロビーを横切って、裸婦の石膏像の傍(そば)にさりげなく立った。この裸婦の傍が、自分をもっとも引き立たせてくれることを、香也子は計算にいれている。今夜は目だたない薄茶色の帽子をかぶり、同系色のオーバーコートを着ている。ハンドバッグも同じ布地だ。

恵理子には八時と約束していたが、香也子は落ちつかなかった。一刻も早くホテルにきていたかった。が、五分ほど石膏像の傍に立っていただけで、香也子は待つのに飽きた。明るい空色の服を着た、フロントに働く青年たちや、会場の結婚披露宴に行く着飾った人々を眺めながら、香也子はいらいらと時計を見た。まるで、早くから恵理子が自分を待たせているような錯覚さえ感じて、

「遅いわ」

と呟いたのは、まだ七時四十分の時だった。香也子は入り口とエレベーターの両方を見通せるロビーの椅子に坐って、恵理子を待つことにした。ロビーを往来する客たちを眺めるともなく眺めていて、思わず香也子はハッとした。金井に似たうしろ姿を見たからだった。と、その男が不意にふり返った。誰か若い女性に呼ばれたらしい。ふり返ったその顔は、金井ではなかった。暗いまなざしの、金井さんは、ニヒリスチックな青年だった。

(金井さんであるはずがないわ。今日は塾が忙しいんだもの)

思いはふっと金井に移った。

香也子自身、金井に対する自分の気持ちがわからない。章子の恋人として現れたころの金井は、胸幅が広く、歯が白く、眉の濃い、一見スポーツに秀でた青年に見えた。清潔感もあった。が、慣れ親しむにつれて、金井の表情の中には、卑猥さと狡猾さが同居するのを香也子は見た。それはそれでおもしろくもあった。いかにも裏のありそうな金井が、現代的青年にも見えた。

だが神居古潭(かむいこたん)に一緒に行った時の金井は、香也子にはつまらぬ男だった。

「わたし、父が大っ嫌い。章子さんもきらい。章子さんのお母さんも嫌い、好きなのはお兄さんだけよ」

香也子が口から出まかせにいった時、金井はすぐに、その香也子の言葉に乗ってきた。

「ぼくのいちばん好きな人が誰か、わかりますか香也子さん」

と、香也子を抱きすくめようとしたのだった。その時の金井は、笑いだしたくなるほどこっけいに思われた。それがどうして、金井に体を許したのだろうと、香也子は自分で自分がわからない。

つまりそれは、あの西島から受けた屈辱感が、自分を金井に走らせたのだとしか思えない。香也子は、西島に対しては、金井とはちがった、もっと切ない憧れに似た想いをもっていた。あの正月五日の日、香也子はふり袖を着ていた。誰もが、よく似合うといってくれ、香也子自身も自分が美しいと思っていた。その美しい姿を西島に見てもらいたかった。

「わたしこれから、絶対西島さんのところに行くわ」

香也子は恵理子に宣言して、西島の寮に行った。今日の自分は、姉の恵理子の美しさに決して負けないと、香也子は気負っていたのだ。

だが西島の部屋をノックした時、西島はドアをあけて、訪問者が香也子だと知ると、そのうしろをのぞくようにして、

「なんだ、君一人なの。恵理子さんも一緒じゃないの」

と、がっかりしたようにいったのだ。しかも、部屋にはいれともいわず、

「そうだ、恵理子さんに電話してみましょう。ちょっと待っててください」

と、自分を廊下に待たせたまま、階段の下の赤電話から、恵理子に電話をかけたのだった。西島は
西島のその目の中には、香也子のきもの姿に対する讃嘆の色は少しもなかった。西島は香也子のうしろに恵理子がいないと知ると、直ちに恵理子を呼びよせようとしたのだ。それは香也子にとって、大きな侮辱だった。痛手だった。

西島の寮を飛び出した香也子は、西島が追ってきはしないかと、ふり返りふり返り駆けて行った。が、追いかけてくる西島の姿はなかった。

その悔しさが、香也子に金井を呼び出させたのだ。金井は香也子の呼び出しにちょっと驚いたようだったが、指定した喫茶店にすぐやってきた。香也子のきもの姿を見ると、金井は目を見張って、

「やあ、すばらしいじゃないか、香也子さん」

と、ほめてくれた。西島から無視された時だけに、金井が目を見張ってくれたことは、香也子にとって大きな慰めだった。

その夜香也子は、金井に対してひどく素直だった。そんな香也子を、金井も見直したかのようにつきあってくれた。

「わたし、どうして今日、このきものを着てきたか、わかる？」

寒　風

香也子は金井とみどり鮨ですしをつまんだ後、外に出るとそういった。

「ぼくに見せるため？　じゃないだろうね」

「金井さんに見せるためなんて、そんなの月並みよ。あのね……わたし、金井さんにこのきものを脱がせてほしいの」

「本気にするよ、香也ちゃん」

酒のはいった金井は、ぞんざいな口調でそういった。

「本当よ、ほんとうなのよ。だからわたし、章子さんを追い出したんだもの」

いいながら香也子は、ほんとうに自分が、今夜は金井を好きになったような気がした。

そして、金井に誘われるままに、ラブホテルに行ったのだった。

あれから今日まで、幾度か金井に会っている。会うたびに金井のいやな面にも気がつくが、金井は時折、ひどくやさしくなることがあった。ある時は粗暴で、ある時は優しい男というものに、香也子はそれなりの魅力を感じた。

それでいて、香也子はほんとうに自分は金井と結婚するつもりだろうかと思っていた。金井と結婚するといえば、父や扶代がどんなに怒るだろう。そう思っただけで、香也子は楽しかったのだ。そして期待通りに、父も扶代も怒った。

今日はいやがる金井をつれ出して、章子を迎えに行った。そこで見た扶代と章子の驚きは、香也子を充分満足させた。あの驚きさえ見れば、もう金井と結婚しなくてもいいような気もする。その一方で、もう金井から離れられないような思いもある。だがほんとうに自分の心の中にあるのは、西島のような気もするのだ。

いったいなぜなのだろう。それは、一度も西島が自分のほうを向いてくれないためかもしれない。それでいて、西島という人間が、決して冷たいとは思えないのだ。恵理子の恋人だから得たいのか。それも香也子にはよくわからなかった。

香也子は時計を見た。やがて八時になろうとしていた。

六

恵理子と香也子は、ロビーの片隅で語り合っていた。入り口のドアのほうから時々寒い風がはいって来る。香也子の目は、ちらちらとついドアのほうに走る。そこから、いまに西島がはいってくるはずだ。そして、エレベーターからは、あの貴子という娘が出てくるはずなのだ。

「そう、それで香也ちゃん、金井さんという人と結婚するつもりなの」

恵理子は、今夜は、更紗(さらさ)模様の和服を着ている。さすがに、茶の稽古日毎に和服を着ているだけあって、しっとりとしたうるおいのある風情であった。そんな恵理子に、香也子は妬みを感じながらも、さりげなく答えた。

「それがわからないから、お姉さんに相談するのよ」

「そうねえ。わたしにはどうしなさいとはいえないわ。そういう大事なことは、自分自身が決めることだもの」

「あら、冷たいのね、お姉さん」

「そんなことないわ。結婚という大事なことが、自分で決められないようだったら、その結婚生活はおままごとだと思うのよ、わたしは。ただね、こうはいえるわ。わたしが香也ちゃんだったら、金井さんとはそうはならなかったわ」

「そりゃあそうかもね」

香也子の視線は、再び正面のほうに走る。香也子には相談も何もないのだ。西島とあの都会的な女性が睦まじげに会うさまを、姉の恵理子がどんな思いで眺めるか、それが楽しみでならないのだ。

「遅いわねえ、金井さん。おさしつかえができたのかしら」

恵理子が腕時計を見た。八時二十五分だ。

「変ねえ。たいていは時間は守る人なのよ。でも、すぐくるわよ、きっと」

金井などは、ここに呼んではいない。金井を呼んだことにしたのは、むろんこうして、ロビーで西島と貴子を待つことができるからだ。もし、恵理子と二人だけの話なら、きっと恵理子は、近くの喫茶店か、ここのコーヒーラウンジにでも自分を誘うだろう。それでは、このロビーで出会う西島と貴子の姿を目撃することができない。西島と貴子は、そのまま食事に行ってしまうかもしれないし、コーヒーを飲みに行ってしまうかもしれないからだ。待ちうけるのはロビーがいちばんいい。

それとは知らずに、恵理子は金井を待っていた。

「ね、香也ちゃん。章子さんはお元気だった？」

恵理子は章子が家を出て行った原因を、母の保子から伝え聞いている。わが妹ながら、香也子の所業が恵理子には悲しかった。いま、てんとして恥じることなく金井との情事を語る香也子の心情がつかめない。どうしてこんな性格になったのか。ふつうの女性であれば、章子を迎えに金井をつれて行くことなど到底できるはずがない。香也子をいびつにしたのは、父と母の離婚にあったのだろうか。それとも香也子は、天性こうした性格なのだろうか。たとえ天性の性格であったとしても、破綻のない家庭に育っていれば、こうまでひどくはならずにすんだのではないか。

そう思うと、恵理子は香也子が哀れでもあった。

恵理子は、いま、大事なことは自分で決めよと突き放した。が、その自分の真意が、はたして香也子に伝わっただろうかと思った。

恵理子はこのあいだ、三谷隆正という人の『幸福論』を読んだ。その中にこんな言葉が書いてあった。

〈吾ら人間は、自由意志の主体である。随って、吾らの一生は、吾ら自らの責任において、吾ら自ら生き営むべき一生である。それがためには、もし吾らに、守護の精霊がついているものならば、彼は吾らを邪道より阻止するにとどまるべく、それ以上積極的に吾らを正道にまで促し進むるが如きは、親切のし過ぎであると言わねばならぬ。
このことは、吾らが隣人に対して、自ら親切を尽くそうとする場合にも、銘記して忘れぬようにせねばならぬ。隣人をして、妄り(みだ)に彼自らの責任から逃れしむような親切は、許すべからざるお節介である。それは人の独立を奪うものであって、人格冒瀆(ぼうとく)である〉

恵理子自身、人には親切なほうであった。だからこの言葉は、自らを戒めるのに大切な言葉であった。祖母のツネは決して悪い人ではないが、親切が過ぎて母の一生を誤らせた。もしツネという存在がなければ、母の保子ははたして離婚したかどうか。その時点では、夫の浮気に悩む保子が、確かに哀れにも見えたであろう。だが、その保子を容一から強引に引き離したのはツネだった。この本を読んだ時、恵理子はすぐにそのことを思った。

「わたし、やっぱり金井さん好きだわ」

香也子がいった。わざとそういったのだ。いってもいわなくてもいいことだった。ただ時間をつぶすための会話に過ぎないのだ。八時半になろうとしている。つつましげに、自分の前に坐っているこの姉が、西島と貴子の姿を見てどんな顔をするか、思っただけでも香也子の胸は躍った。

(いい気味だわ)

自分を一顧(いっこ)だにしなかった西島を思うと、香也子はなんとしてでも、恵理子に自分と同じ惨めさを味わってほしかった。西島は決して恵理子だけとつきあっているのではない。わざわざ東京からやってきたあの貴子との間、それがどんなものか知れたものではないと、香也子は笑いたくなるのだ。

香也子の目が、ちらちらと入り口のドアに走り、エレベーターに走る。

「そう、そんなに好きなの。でもね、香也ちゃん、好きということぐらいだけで、物事を決めちゃいけないんですって」

「あら、そう。じゃどうするの」

「好きというのは感情でしょう。理性も意志も働かせなくちゃいけないってことよ」

「理性と意志もねえ」

「そうよ。人間には理性も意志もあるんだもの。香也ちゃんの理性はなんといってるの」

「さあ、なんといってるかなあ」

「よくよく自問してみるといいわ」

「そうね」

しだいに香也子の言葉が少なくなる。

八時三十五分を過ぎた。確か八時半にロビーで会うと電話でいっていた。八時半に二人はここに現れるはずなのだ。

「遅いわ。変だわ」

思わず香也子は口走った。が、恵理子はそれを金井のことと思って怪しまず、

「お電話をかけてみたら?」

と、やさしくいった。

「いいわ。もう少し待つわ。お姉さんに悪いけど」

「いいわよ、わたしはいいわよ。香也ちゃんとこうして二人でいられるだけでも、うれしいんだもの」

「そうお? そういってくれるとうれしいわ」

いいながら香也子は、なんと人のいい姉かと笑いたくなった。いまに、西島と貴子がここに現れるのだ。その時の恵理子は、必ず嫉妬にさいなまれるにちがいない。

(西島さんは、あの貴子という娘と結婚したらいいんだわ)

香也子は切実にそう思った。姉と結婚されるよりは、そのほうが香也子としては気が楽であった。姉の恵理子は、いつも自分よりいいものを持っているような気がする。この優しい話し方といい、柔らかな表情といい、それは決して香也子にはないものだった。小さいときから恵理子は真新しいものを着、香也子はそのおさがりを着ていた。しかもいまは、母と祖母の愛の中に生活をしている。自分は留守がちの父と、継母(けいぼ)とその娘の中に生きて

きた。姉は何もかもよいものを自分から取り上げてきたような気がする。

(西島さんと金井さんをくらべてみたって……)

西島とくらべると、金井がひどくうす汚く見えた。その西島を自分が奪えなければ、他の女が奪ってくれるといい。

そんなことを思いながら、香也子は幾度となく時計を見た。もう九時に近かった。

「ひどいわ」

「お電話してきたら?」

再び恵理子がいった。電話をかけよといわれても、金井との約束はない。が、香也子はしかたなく立ちあがった。ロビーを横切って、赤電話のあるコーナーに近づきながら、西島と貴子が八時半の約束を他の時間に変えたのではないかと思った。それがもし、自分のきた七時半よりも前の時刻であったなら、二人はとうにどこかで会っているにちがいない。いらいらして、赤電話の傍に行った時だった。回転ドアを押してはいってくる西島の姿が目にはいった。

寒　風

七

回転ドアを押してはいってきた西島に、香也子はハッと息をのんだ。西島はロビーにはいってちょっと腕時計を見、すぐにコーヒーラウンジにはいって行った。白っぽいジャンパーを着た姿は、ホテルという場所にはちょっとそぐわぬ姿だったが、西島は少しも悪びれた様子がなかった。それはさわやかな風が吹き過ぎたような感じであった。

（やっぱりきたわ。気がついたのかしら、お姉さんは）

ロビーの恵理子に目を走らせると、恵理子はこちらに背を向けて、何も気づかぬふうである。と、すぐその傍をくる貴子の姿が見え、貴子もコーヒーラウンジにはいって行った。

（なるほど、時間と場所を変更したんだわ）

確か八時半にロビーで待つと、貴子は電話をかけていた。だが西島の仕事の関係で時間が変わったのだろう。ジャンパー姿であるところをみると、工場からまっすぐにきたのかもしれない。

恵理子のところに戻った香也子はさりげなくいった。

「変ねえ、金井さんいないのよ。こっちへ向かってるかもしれないけど……わたしのど乾いちゃった。コーヒーラウンジで何か飲もうかしら」

何も知らない恵理子はうなずいて、

「そうね、あそこでも、気をつけていれば、ロビーにみえたらわかるわね」

二人は立ちあがった。

香也子が先に立った。気づかれずに西島たちを観察できる場所が必要だった。香也子はゴムの木の鉢の陰の席を選んだ。香也子からは西島たちの姿は見えるが、向かい合って坐る恵理子からは見えない。ちょうどよく、西島もまた香也子たちに背を向け、貴子が見えるだけだった。

「すてきねえ、ユーカラ織って」

ボーイが水を置いて行くと、香也子は浮き浮きといった。コーヒーラウンジのコーナーに、旭川の民芸品であるユーカラ織が陳列されている。「流氷」「秋の摩周湖」「さんご草」などと、テーマのついたユーカラ織の色は、どれも深みを帯びて美しかった。流氷の濃い青、さんご草の赤、それぞれに恵理子の心を捉える美しさがあった。

「ユーカラ織の色って、青色ひとつ出すのに、色を何十種類も使うんですってよ」

洋裁をする恵理子は、特に心がひかれるようであった。

「へえー、何十色も?」

香也子はあいづちを打ち、自分の背にある陳列棚を見あげた。

「このごろね、イミテーションが出てるのよ。でもね、色の深さが全然ちがうの。青は青一色で出せると思ってるらしいのよ、イミテーションは。何十色もが渾然として出す色って、品格が全然ちがうのよ」

「ほんものと、にせもののちがいか」

香也子はわかったようにうなずいたが、視線はともすれば、何か一心に語りかけている貴子に走る。

「そうよ。本物とにせ物とのちがいよ」

思いをこめて恵理子はいう。わが妹ながら、香也子の行動は恵理子には悲しかった。人間にもにせ物と本物とがあるのだと、恵理子はいいたいような気がした。真実をもたぬ人間は、にせ物だといいたかった。

「香也ちゃん、何を見てるの」

「ううん、ねえお姉さん、章子さん記憶喪失だったのよ」

「まあ！　そうだったの。どんなにか、辛かったのね。記憶喪失って、よっぽどの痛手を受けた時になるんでしょ」

「なんだかわからないけど、わたしにいわせれば、章子さんって弱虫よ、わがままよ」

「あら、そんなこというもんじゃないわ」

軽くたしなめる恵理子に、香也子は抗（あらが）うようにいった。

「わたしと金井さんが結婚するって聞いたら、また記憶喪失になるかしら」

「そうねえ、凄いショックだと思うわ。わたしたちの想像できないほど……」

「おもしろいわね」

「おもしろい？　香也ちゃん」

「だって、人がおどろくのって、おもしろいじゃない？　お姉さんおもしろくない？」

「香也ちゃん！　そんなこととおもしろいとか、おもしろくないなんて……。とにかく、金井さんと結婚するのは、章子さんに誰かが現れてからにしたらいいわ」

ボーイがコーヒーを持ってきた。

「あら、だってわたし、一人でも多くの人をおどろかしたいもの。第一章子さんが落ちついてからなんかじゃ、わたし結婚する甲斐がないもの」

香也子は恵理子より先に、自分のカップの中に、砂糖を三杯もいれた。スプーンでカチャカチャとコーヒーをかきまわし、一口飲んで、

「ああ、おいしい」

と笑った。恵理子は苦笑して、静かに砂糖をいれながら、

「香也ちゃんね、おねがいだから、もう子供のようなことはいわないで。結婚したら香也ちゃんだって、お母さんになるのよ、やがては」

香也子はそれに答えずコーヒーを飲んだ。飲みながら、貴子の表情にちらちらと視線が走る。貴子がうれしそうに何かいっている。何組かの客がいながらコーヒーラウンジの中はひっそりとしている。誰もがささやくように話し合っているのだ。

（もっともらしい顔をして、お姉さんぶって……いまにどんな顔をするかしら）

香也子は叫び出したいような喜びを覚えながら、恵理子に視線を戻した。恵理子がいった。

「香也ちゃん少し元気そうになったわね」

「うん、お姉さんに会えたから」

いってから、

「あら!?　ちょっとちょっと、お姉さん。あの人、西島さんじゃない？」

と、声をひそめた。

「え？　西島さん？」

思わずふり返った恵理子の頬に、血の色がのぼった。が、すぐに恵理子は静かにもとの姿勢に戻った。その恵理子に、

「相手は何者かしら、凄くすてきな人じゃない？」

香也子はささやいた。

「そうね、きれいな方ね」

恵理子の目の色が沈んだ。近ごろは西島は週に一度といわずに、二度も三度も会ってくれるようになった。一昨日も恵理子は西島と会った。その時西島は、明日から一週間ほど、忙しくて会えないかもしれないといっていた。その忙しいはずの西島が、いまここで、見知らぬ美しい女性と会っている。

(どうして、一昨日あんなことをいったのかしら)

恵理子は再び、そっとふり返った。身のこなしの洗練された、表情の豊かな貴子の顔が魅力的だった。貴子のその目がひたすらだった。たんなる女友だちの目ではない。

(あの人が貴子さんかしら)

貴子がくるという話は、一昨日西島はしていなかった。今日貴子が旭川にくるならば、一昨日は知っていたはずだ。西島は、

「貴子さんがきたら、君に一度会ってもらいたいんだ」

以前にそういったことがある。恵理子は打ちひしがれた思いになった。その恵理子の表情を、香也子は楽しむように眺めていたが、

「大敵ね、お姉さん。負けないでよ」

と笑った。

「そんなんじゃないわ」

「あら、そんなんじゃないって、お姉さん、自信があるの？」

「西島さんって、そんな人じゃないわ」

「ほんとかしら。あんなすてきな人が現れたら、西島さんだって、ふらふらになるかもしれないわよ」

「大丈夫よ」

「へえー、たいした自信ね、お姉さん。わたしはそうは思わないわ。あの人の目は恋してる目よ。お姉さん気がつかない？」

「女の人のほうで恋してるだけよ」

「まあ！　ほんとかしら」

いったかと思うと、いきなり香也子は立ちあがった。

八

あっという間もなかった。香也子はさっさと西島の席に近づいて行った。恵理子は狼狽(ろうばい)した。が、一緒に傍に行くこともできない。近づいた香也子は、うしろからぱっと西島に目かくしをした。貴子がおどろいて目を見張った。

「誰です？」

落ちついた西島の声に、香也子が無声音で答えた。

「あててごらんなさい」

「わかった。香也子さんでしょう」

「あたっちゃった」

香也子は手を放し、

と無邪気に笑った。

「こんないたずらを相手かまわずできるのは、あなたぐらいだ」

西島はおだやかに笑い、

「お一人ですか」

と、立っている香也子を見あげた。

「お姉さんも一緒よ」

「え？　恵理子さんが？」

「お姉さん、物凄く怒っているわよ。こんなすてきな人と会ってるんですもの」

「恵理子さんが怒る？　そんなはずはない。貴ちゃん、この人が恵理子さんの妹さんですよ。明日紹介するっていまいってたばかりですよ」

終わりの言葉は香也子に向け、

「どこにいます？」

と、西島は立ちあがってコーヒーラウンジの中を見まわした。

「貴ちゃんって、どなた？」

「友人の妹さんですよ」

無造作に西島は答えたが、貴子は硬い表情で香也子を見つめていた。

隅のほうにいる恵理子のうしろ姿を見つけた西島が、大股に近づいて行った。

「恵理子さん、いいところでお会いしましたね」

恵理子は静かにふり返って、西島の目を見た。西島が微笑した。その西島の目はいつもの目であった。恵理子にいつも見せる深い目の色だった。恵理子はほっとして、

「どなた？　あの方」

「鈴村の妹です。今日急に空港に着いてね、まいっちゃったよ。忙しい時でね」

「今日はお邪魔しないわ。紹介していただいたら、それでいいわ。わたしも待ち合わせている人がいますので……」

「そんなこといわないで、ちょっと話し合ってみてくださいよ。君のことははっきりいってあるんだから」

しかたなしに、恵理子は西島のあとに従った。

「恵理子さんだよ、貴ちゃん。こちら貴ちゃんです」

「はじめまして」

恵理子は静かに一礼した。

「これからが見ものね」

香也子が坐ったままで、恵理子と貴子を交互に見た。

「香也ちゃん！　そんな失礼なことを。ごめんなさい」

恵理子は二人にあやまって椅子に坐った。

「だって見ものでしょう、ね、西島さん。西島さんを好きな女が三人集まったのよ。ただじゃすまないわよ」

「そんな……冗談でも悪い冗談よ」

「あら、ほんとのことをいったのよ。わたしだって西島さんが大好き。おそらく貴子さんだって、好きだから東京から会いにきたんでしょ。お姉さんだってそうだし」

貴子の目は、まばたきもせず恵理子にきびしく注がれていた。西島はいった。

「貴ちゃんは、小学生のころから知っていて、妹のような存在なんですよ」

「わたし、あなたの妹のような気持ちなんかじゃないわ」

貴子がぴしりといった。それは香也子とはまたちがった、激しい語調だった。全身でものをいっているような、悲しいほどにひたすらな感じがあった。

「そうよね。妹のようななんて、ごまかされるの、いやよね」

おもしろそうに香也子は口を出す。貴子はその香也子を一瞥したが、無視していった。

「広之さん、わたしの部屋は六一〇号室よ」

立ちあがった貴子を見て、香也子は両方の人差し指を拍手のように打ち合わせ、

「やるじゃない、あなた」

とふざけた。貴子は、西島以外の二人を無視して去った。

「西島さんごめんなさい。わたしたち突然お邪魔して……」

「いや、かえって……お気を悪くしたでしょう。ほんとうは貴子さんって、あんな女性じゃ

ないはずなんです」

香也子は両手を組んで、ニヤニヤした。

「かばうわねえ、やっぱり」

「かばうわけじゃないけど、調子が狂っちゃったんですよ、彼女の」

西島はちょっと吐息を洩らした。

「でも、西島さん、わたしにお礼をいってよ」

香也子は、バッグの中からタバコを出して口にくわえた。ベッドの中で、金井は香也子にタバコをのむことも教えたのだ。香也子はライターで火をつけながら、流し目で西島を見、

「わたしが現れなかったなら、お姉さんはあのますっと帰るつもりだったのよ。あなたと彼女を見た時、お姉さんの顔色が変わったわよ」

香也子は、煙を乱暴に吐き出しながら、

「西島さん、はっきりしてよ。わたしたち三人のうち、いったい誰を好きなのよ。わたしを好きな顔をしたこともあるし」

「君を?」

「おどろくことないわ。いつか旭山でわたしを抱き起こしたことを知っていて?」

倒れた香也子を抱き起こしたことは、西島も覚えてはいる。

「あの時、西島さん、わたしのどこにふれたか知っている?」

声こそ低いが、大胆な言葉だった。聞きようによっては、どのようにも受け取れる言葉だった。

「君、でたらめは……でたらめはやめたまえ」

極力自制しながら、しかしきっぱりと西島はいった。

「わたしは正直よ。でたらめはいわないわ。とにかく西島さんも男だっていうことよ。お姉さん、覚えててね」

「香也ちゃん、金井さんはもうこないようね。帰りましょう」

「金井さん? 彼ははじめっからこないわよ。わたしが待っていたのは、西島さんたち二人なのよ。気がつかなかったの、お姉さん」

香也子は不意にいらいらといった。貴子が現れても、西島と恵理子の間に、なんのひびもはいらぬことが、香也子をいらだたせたのだ。こんなはずではなかったのだ。西島は狼狽(ろうばい)し、恵理子は嫉妬に、憤然としてこの場を立ち去るはずであった。が、立ち去ったのは貴子であって、恵理子ではなかった。なんとか二人の間に水を差したかった。だから、いま香也子はでたらめをいったのだ。西島が抱き起こしてくれたのは確かだった。が、それだけだった。それだけであったことが、香也子にはいまだに侮辱されたような思いなのだ。

「香也ちゃん、じゃ、あなたは西島さんたちが……」

「ここにくることを知ってたのよ。何も知らないお姉さんが、間抜けてておかしかったわ。わたしのほうが西島さんの行動をつかんでるのよ」

西島も恵理子も黙った。

「じゃ、さいなら。彼女六一〇号室ですって。部屋の番号を教えたということ、どういう意味か、お姉さん察してあげたらいいわ。西島さんたちの邪魔をしないほうがいいわ」

香也子はいうだけいうと、立ちあがって出て行った。

九

香也子の去って行く姿を見ながら、恵理子は淋しかった。姉の自分に、金井との結婚問題で相談があると呼び出したが、それははじめから企み(たくら)であったのだ。香也子は、西島と貴子がむつまじく話し合っているところを、自分に目撃させたかっただけなのだ。人を傷つけることだけにしか、生甲斐を見つけることのできない香也子の生き方が、恵理子には悲しかった。うなだれている恵理子に西島はいった。

「何を考えているんです？　恵理子さん」

「いいえ、何も」

恵理子は香也子に呼び出された一部始終を語る気にはなれなかった。

「ぼくと貴子さんのこと、誤解したのかなあ」

西島は恵理子の目をのぞきこむように見た。

「いいえ」

「じゃ、どうしてそんな沈んだ顔をしているんです？」

「ごめんなさい。香也子があんまり失礼なことばかりして……あの子はどうして、人の心を傷つけて喜んでいるんでしょう。情けないわ」

「しかしねえ、恵理子さん。人間ってみんな、一皮剥げば、人を傷つけて喜んでいる存在ですよ。その証拠に、ぼくたちはよく人の悪口をいうじゃありませんか。あの悪口をいう気持ちを分析してごらんなさい。決してその人のために心を痛めながら悪口をいってるんじゃない。いい気持ちになって、悪口をいってるんですよ」

なるほどと、恵理子はうなずいた。いわれてみれば、確かにそのとおりかもしれない。人が二人寄れば、誰かのうわさ話をする。それはたいてい、聞かれたら困るような話ばかりだ。それを聞いた当人は、必ず傷つくにちがいないことを、愉快そうに話し合っているのが人間の姿だ。香也子はそれを陰でするのではなく、あらわに、目の前でやってみせるのだ。とにかく人間の心の底に流れるものは、確かに香也子と同じものかもしれない。だからといって、香也子の行為が許されるというわけではない。

「……でも、ほんとうにごめんなさい。今日は大切な相談があるからと、香也子に呼び出されたんです。西島さんがここにいらっしゃるなんて知っていたら、別の場所に変えましたのに」

「いや、ここで会えたほうがよかったですよ」

西島はまだ残っていたコーヒーを飲みながらいった。

「あの、西島さん、わたし今日は失礼します」

「どうして?」

西島がおどろいてコーヒーカップをおいた。

「貴子さんを、あのままほうっておいてはいけないわ。せっかく東京からいらしたんですもの」

「………」

「貴子さんと、今夜は話し合ってあげてくださいね。じゃ、わたしはこれで」

西島は、立ちあがりかけた恵理子を制して、きっぱりといった。

「恵理子さん、話があるんです」

「お話って?」

「ぼくたち、今年中に……結婚しませんか」

「えっ?」

「こんなところで、なんだか唐突みたいだけど、そして、こんな話は、もっとつきあってかららいうべきだとぼくは思うんだけど……」

「………」

「結婚というのは、自分たちにとっても、親や兄弟たちにとっても、重大なことだと思うんです。だからね、ぼくはせめて一年はつきあってから、結婚の申しこみはすべきだと思っていたんです。そうした時間の間にかもし出されるものが大事だと思っていたんですよ」

「…………」

「いつかもいいましたよね。ぼくは待つということが好きだって。待つという精神のない生き方は、いやなんです。うわずっているようで。でもね、君に会ってから八か月、ぼくなりに見てきたつもりだけど、恵理子さんって信頼できる人だと思うんです」

「…………」

「ぼくとしては、鈴村が生きている間は、あなたとの婚約や結婚は、控えるべきだと思っていたんです。しかしね、それは少し鈴村へのいたわり過ぎかもしれない。そりゃあ鈴村はがっかりするでしょう。だがあいつは、物事の本筋を見失わない奴ですからね。きっと祝福してくれると思うんですよ」

じっとうつむいたまま、静かにうなずきながら聞いていた恵理子が、長いまつ毛をあげて西島を見た。

「ね、恵理子さん。貴子さんだって、ぼくが独身だと思うから、今日も不意に旭川まで会いにきたりした。ぼくは鈴村の妹として、かわいがってきたつもりだけども、それがやっぱりいけなかったんだな。その前にぼくは男で、彼女は女だということ、それをよく考えるべきだったんですね。今日それが、痛いほどわかりました。とにかく、ぼくはいま、君に結婚を申し込みます。ずいぶん野暮ったい申しこみ方だけど」

「ありがとう。うれしいわ」

西島が手をさし出し、その手に恵理子の手がしっかりと握られた。二人はしばらくの間お互いを見つめあっていた。

香也子のいたずらが、思いがけない結果を生んだ。西島はつまらない誤解によって、二度とくり返すことのできないいまの日々を、決して汚したくはないといった。恵理子も同じ思いだった。が、恵理子の心の底に、一抹の不安があった。はたしてツネが、自分の結婚に賛成してくれるか、どうか。ツネは、相手は誰であれ、なるべくなら結婚しないほうが、女の幸せと思っている。もし西島が、結婚を申し込みにきたら、ツネは決して喜びはしないだろう。不承不承賛成してくれたとしても、きっと内心、力を落とすにちがいない。できるなら、恵理子はせめてツネと保子にだけは、心から祝福してほしいと思う。そう思いながらも、恵理子はいいようもない喜びを噛みしめていた。

ザラメ雪

ザラメ雪

一

章子(あきこ)が戻ってきて、いつの間にか半月ほど過ぎた。

二月も半ばにはいると、暗い冬から、俄(にわか)に明るい冬に移った感じになる。が、言葉少なかった章子は、いっそう口数の少ない人間になってしまった。テラスから、日がいっぱいに差しこんで、あたたかい居間に、容一(よういち)と扶代(ふよ)は、セーターを編む章子の姿に目をやりながら、とりとめのない話をしていた。

「冬ももういいとこ一か月だな」

「そうねえ。スキーも今月いっぱいぐらいでしょうか」

扶代はサンバレーのスキー場が見える窓に目をやった。急勾配を滑降するスキーヤーたちの姿が、ここからは黒い豆粒のように見える。その豆粒が、スキー場の山肌に、点々と無数にちらばっている。日曜のせいで、人出が多いのだろう。

「絹(きぬ)ちゃん。昼はソバを食べたいなあ」

容一が明るい声でいう。

「あら、そうですか。じゃあ、扇松園(せんしょうえん)さんにお電話しておきましょうか」

「そうだねえ。絹ちゃんのよりはうまいからなあ」

同じ高砂台(たかさごだい)の扇松園のソバは手打ちだ。しかも、客が行ってから打ってくれるので、うまさは格別だ。冬になると、血圧の高くなるのを恐れて、よく扇松園のソバをとる。

「章子さんも、おソバでいいですか」

章子びいきの絹子が、章子が戻ってきてからは、なおのこと章子に心を使う。

「いいわ。マヨネーズソースあるかしら?」

「もちろん、用意してありますよ」

章子はソバをタレにつけるよりも、マヨネーズソースに和(あ)えるのを好む。

「香也子(かやこ)さんにも聞いてきましょうか」

とうに十時をまわったのに、香也子はまだ起きてこない。

「かまわん、ほっとけ。あいつには、砂利(じゃり)にマヨネーズでもかけて食わせたほうがいい」

容一の声がきびしくなった。扶代がかすかに笑った。容一は、金井と結婚するといい張っている香也子に、ほんとうに腹を立てているのだ。

「じゃ、おソバを五つ注文します」

はきはきと絹子がいった時だった。

「ソバは七つにしてほしいな」

玄関のほうから声がした。整(ひとし)の声だった。

「あら、いらっしゃい」

扶代がにっこりと立ちあがった。扶代にとって、いま整は夫の容一よりも信頼できる存在だった。章子が見つかったのも、整のおかげだと思う。章子が帰ってきてからは、整は毎日のようにこの家に顔を出してくれる。一日中黙りこくっている章子も、整がきた時だけは、表情がやわらぐのだ。

「お早うございます」

大きな声で、整が居間にはいってきた。

「今日はまた、いやに早いじゃないか。まだ十一時にならないよ」

「今日はね、章子ちゃんをスキー場につれ出そうと思ってさ。な、章子ちゃん、ソバを食べたら、スキー場に行かないか」

章子はこっくりとうなずいて、ちょっと赤くなった。すばやく容一がその表情を見、さりげなくいった。

「ああ、そうするがいい、そうするがいい。しかし今日は天気がいいから、スキー場は混むぞ」

「いや、ぼくはね、混まないところを知ってるんですよ、叔父さん。ひっそりとした林に囲まれた、ゆるやかなスロープがあってね。章子ちゃんと二人で滑ろうと、心ひそかに決めた場所があるんですよ」

「まあ、いいわねえ」

絹子が羨ましそうにいった。

「絹ちゃんも、早くそんな相手を選ぶんだな。しかし絹ちゃんに嫁に行かれるのは困るな」

容一が笑う。整が現れると、いつも部屋全体が明るい雰囲気に変わるのだ。

ばったりばったりと、スリッパの音が重たくひびいて、香也子が起きてきた。

「整さんたら、大きな声ね。たまの日曜ぐらい、ゆっくり眠らせてよ」

自分のいないところで、みんなが楽しそうに笑っているのは、香也子には耐えられない。

「香也っぺ、お前、勤め人みたいな口をきくなよ」

整はニヤニヤした。

「あら、悪かったわね。それよりもさ、整さん。あなたこのごろ、勤め先を変えたの」

「どうして?」

「だって、毎日ここにご出勤じゃない」

小気味よげに香也子は笑った。

「こりゃ、一本参ったな」

整は楽しそうに笑った。その整の笑い声が、香也子の笑い声を圧した。そんな整を、扶代と章子がたのもしそうに見た。

「笑ってごまかさないでよ。お目当てはなんなの」

「香也子嬢のお察しのとおりさ」

「あら、わたし、なんにも察しちゃいないわ」

香也子は、はぐらかした。

「じゃ、白状するよ。扇松園のソバさ」

整はまた大声で笑った。

「またごまかす」

香也子が睨んだ。

「ごまかすとわかってるんなら、やっぱり察してるんだろ」

「何をよ」

香也子は、意地でも整の口からいわせたかった。

「いいじゃないか、香也子。そんなことはどうでも」

苦々しげに容一は香也子を叱った。

「いやに風当たりが強いのね」

香也子は容一の傍に坐って、わざと容一の顔をのぞきこんだ。容一は顔をそむけて、

「風当たりも強くなるさ。どうしてそうなったか、わかってるだろう」

「わかってるわよ。わたしが金井さんと結婚するからでしょう」

香也子は章子のほうを見ながら、金井という言葉に力をいれた。章子は黙ってグリーンのセーターを編んでいる。

「とにかくなあ、香也子、お父さんはなあ、お前があいつと結婚するんなら、家は建ててやらんよ。これだけははっきりといっておく」

「いいわよ、金井さんと一緒にさえなればいいの。あの人とってもやさしいんだもの。すごーくすてき」

「香也子、あんな奴がどうしてすてきに見えるのかなあ、お前には」

「何よ、お父さんったら。どうして章子さんの時にそういってあげなかったのよ。ねえ、章子さん」

章子は傍の赤いシクラメンに目をやったまま、返事もしない。

「まさかあんな呆れた男とは、お父さんも思わんかったからなあ」

「ま、どんな男か見ていて。彼、きっと凄いお金持ちになるわ。金融会社をするんだっていうもの」

「何？　金融会社？　サラ金か」

「サラ金か何金か知らないけど、金貸しって、いいわねえ。一万円貸したら、一年で利子が一万円ですって。びっしびっしと利子を取り立てるの、すてきじゃない」

容一は呆れて香也子を見た。整は、章子と何かひそひそと話し合っている。香也子はそれに気づくと、

「整さん、今日、どこかに遊びにつれてって」

と、割ってはいった。

「ごめんだねえ。遊びに行きたければ、金井君と行けばいいじゃないか。ぼくはねえ、彼氏の決まった女の子に興味がないんだ」

「へえー、それで、彼氏に捨てられた章子さんにべたべたしてるの」

「捨てられたのは金井さ。章子さんは金井を捨てて行ったのさ。その彼にあんたがほれたんだよ。つまりお古をいただいたってわけだな」

整はニヤニヤという。扶代がかすかに笑った。容一がいった。

「いいことといってくれたな、整」

香也子はぷいと立ちあがった。眉はぴりぴりとふるえている。再びかすかに扶代が笑った。と、それに目をとめた香也子がいった。

「お父さん、ゆうべ、電話がきてたわよ。お母さんから」

「何?」

思わず返事をしたが、容一はすぐにとぼけた顔をした。

「なんだか知らないけど、至急相談したいことがあるんだって。いつものところにきてください って。今夜の八時」

いい捨てて香也子は、足音荒く洗面所のほうに行った。

「そんな電話、よこすはずありませんよ。昨夜はぼく、おばあちゃんのところへ行っていたからわかってますけど」

「そりゃそうだ。そんな電話をよこすはずはない」

ほっと救われたように、容一がいった。が、扶代の表情がこわばっていた。

その時、電話が鳴った。電話のいちばん近くにいたのは整だった。

「もしもし、橋宮ですが。え? 香也子ですか。どちらさんですか……ああ、金井君か。君ねえ……」

いおうとした時、横あいから容一が受話器を奪った。

「香也子になど、もう用事はないはずだがねえ」

受話器の向こうで笑うような声がし、

「香也子と別れろっていうんですか」

「別れろ？　とにかくね、君は不愉快だ。よくもまあ、空港まで、図々しく顔を出したもんだなあ」

「引っ張ってったのは、あんたの娘さんですよ。とにかくぼくは、香也子とは別れませんからねえ。もっともご相談には応じますがねえ」

「金井君、君はわしをゆするつもりかね」

いいかけた時、今度は香也子が受話器を奪った。

「いま行くわ。どこ？　……わかった。じゃ、ね」

その香也子の頬を、容一が打った。

二

三月にはいったというのに、珍しく寒さのきびしい日だった。恵理子は二階で、頼まれたスーツを裁断していた。布に鋏(はさみ)を入れる時の感触が恵理子は好きだ。無我の境になれるのだ。それは茶の点前の時の境地に似ている。口もとにかすかな微笑を浮かべ、チャコの印のついたとおりに、鋏を進めて行く。

と、襖があいて、母の保子がはいってきた。藤色に同系の濃い小紋の外出着姿が、保子を若々しく見せていた。

「あら、お母さんお稽古に行くの?」

もうそんな時間かと、恵理子が時計を見た。午後二時である。

「ええ、ちょっと行ってくるから、お夕飯の支度をしてね。今日は遅くなるかもしれないわよ」

恵理子はその保子を黙って見た。今年になってから、保子も出稽古を五軒ほど受け持つようになった。ツネの出稽古がふえて、廻りきれなくなったからである。出稽古先はたいてい医師の家とか大きな商店主の家だった。保子はツネとちがって、稽古に出ても帰宅が遅れ勝ちだった。それがこのごろは特に甚(はなは)だしい。

「どこに稽古に行ってるものかね」

先に帰ってきたツネが、苦々しくいうのを、恵理子は幾度か聞いた。

じっと自分を見つめる恵理子に、保子が坐っていった。

「ねえ、恵理子。お母さんにはね、香也子のことで、お父さんから相談受けてるのよ」

弁解するような語調だった。

「香也ちゃんのこと？」

「ええ、香也子がね、金井とかいう人と結婚したいんだって。一週間に一度は泊ってくるんだってよ」

「………」

「それでね、お父さんもこのごろはもう諦(あきら)めちゃって、香也子は死んだと思って、嫁にやろうかなんて、おっしゃっているのよ。でもね、お母さんはね、結婚って、してしまったら終わりでしょ。そう簡単に別れちゃならないしね。自分で経験しているとおり……」

「………」

「それで、お父さんといろいろ話し合わなくちゃならないの。やっぱりわたしの生んだ子だもの、香也ちゃんは、ねえ」

持った鋏をじっと見つめながら聞いていた恵理子は、その時顔をあげていった。

「でもね、お母さん、香也ちゃんには育ててくれた人がいるわけでしょう。その人に委せておいていいと思うの。お母さんは別れてしまったんだもの」

「あら恵理子、それは無理よ」

「無理？　どうして」

「だってねえ、香也子の相手は、あの章子っていう子の恋人だったっていうじゃないの。あちらとしては、よくても悪くても発言しづらいじゃないの」

「それもそうね。でも、だからといって、お母さんに聞くことはないわ」

「え？」

一瞬、保子は恵理子のいう意味がつかめなかった。

「だってそうでしょう。お父さんはお母さんと別れたのよ。赤の他人よ。いくら香也ちゃんがお母さんの娘だからといって、相談しなければならないわけはないわ。そんなことぐらい、お父さんひとりでできることよ」

「まあ、恵理子って案外きついことをいうのね」

「そうね、きついかもしれないわ。でも、お父さんひとりで判断できないことじゃないでしょ。それに、もしもよ、これがお母さんと死に別れていたとしたら？　相談のしようがないじゃないの。別れた奥さんに、娘のことを相談しなければならないのなら、なにも別れなければよかったんだわ」

「きついわねえ。あなたのお父さんとは、わたし仲よくしたほうがいいんじゃないの？」

「そうよ。ずーっと仲よく仲よくしていてほしかったわ、別れたりなどしないで。でもねお母さん、むこうにはちゃんと奥さんがいるのよ。わたしがもし後妻に行ったとしたら、どんなことがあっても、前の奥さんとなど仲よくしてほしくないわ」

保子は腕時計を見、

「あら、もう行かなくちゃならないわ。とにかく遅くなるから、おばあちゃんによろしくいっておいて。ね、恵理子」

と逃れるように立ちあがった。

保子を玄関に見送って、恵理子は再び自分の部屋に戻った。ツネも出稽古に出ていて、家の中はひっそりとしている。母の保子にたいして、少し言葉が過ぎただろうかと思いながら、恵理子は明るいすみれ色の布地に鋏を入れて行く。

（しかたがないわ。お母さんが勝手なんだもの）

恵理子は若い娘らしい潔癖さで、保子のけじめのなさを、わが親ながら情けなく思っていた。扶代の悪げのない人柄を思うにつけても、容一と保子とで扶代を踏みつけにしているようなのがいやだった。しかも妹の香也子が、扶代の娘の章子の婚約者だった金井と結婚しようとしていることにも、恵理子は恥ずかしさを感じていた。

しかし考えてみると、保子や香也子と同じ血が自分にも流れているのだ。そのことを、恵理子は思わずにはいられなかった。自分もまた身勝手な思いで生きている、いやな女ではないのだろうか。恵理子は、鈴村貴子から西島にきた手紙を思い出して胸が痛んだ。

鈴村貴子は、あの翌日、西島や恵理子と食事をし、次の日東京に帰って行った。そして折り返し西島に手紙をよこしたのだった。西島はその手紙を恵理子に見せてくれた。

〈広之さん。

わたし、帰りの飛行機の中で泣きました。泣いて泣いて、涙の乾かぬうちに、東京に着いてしまいました。

広之さん。わたしは、命がけで事に当たれば、必ずそれは成功すると、小さい時から信じてきました。わたしは小さい時から広之さんが好きでした。かくれんぼうをしている時も、鬼ごっこをしている時も、わたしにとって広之さんは、ほかの男の子とはちがった存在でした。

やがて少女になり、高校にはいるころになって、わたしはあなたが、わたしにとって、どんなに大切な人かを、いやというほど知るようになりました。あなたが、旭川という北の街に、家具デザイナーとして東京を去ると知った時、地が揺れるような驚きを感じました。でも、その時、わたしの胸に、いままでとちがったひとつの灯がつきました。それは、わたしもいまに旭川という街に住むようになるであろうという望みでした。

小さい時から、広之さんはわたしをかわいがってくださった。広之さんと兄とは仲が良かった。わたしと広之さんが結婚するのに、なんの障害もないと、そう安心しきって生きてきたのです。

でも、人間の安心とはなんとはかないものなのでしょう。あなたに結婚したい人ができたらしいと、あなたのお母さんから聞いた時、わたしは何もかも忘れて、旭川に飛んで行きました。

「そんなはずはない、そんなはずはない」

飛行機の中で、わたしは叫びつづけていたのです。

でも、いまはもう、わたしはきっぱりとあなたを諦めました。恵理子さんという人を見た時、はっきりと敗北を知りました。食事を一緒にした時、この人にならら負けてもいいと思いました。このひとに惹かれた広之さんを許せると思いました。わたしが男だったら、わたしのような娘より、恵理子さんのような女性を選ぶだろうと思いました。

まだ悲しいけれど、でもわたしは、たぶんさわやかな敗北を、決して生涯の傷跡としては受けとめないことでしょう。広之さんに負けない、すてきな男性をわたしも探します。おふたりのお幸せを、心から祈ります。わたしをこんなに悲しませたんだもの、幸福な結婚をしなくちゃ、呪うわよ。貴子

いまはもう恵理子さんの

恋人となった広之さんへ〉

その手紙を思い出しながら、恵理子は大きな重荷を背負った思いだった。貴子という一人の女性が、その幼いころから、どれほどの憧れと慕情をもって西島を想ってきたことか。その長い年月の積み重ねを思うと、西島を奪ったとしかいいようのない呵責（かしゃく）を、恵理子は覚えるのだ。

（ごめんなさいね）

胸の中でそう呟いた時、玄関のブザーが鳴った。

三

「あら！　整さんじゃないの」

玄関の戸をあけて、恵理子は驚きの声をあげた。整は、少し積もった雪を、玄関の傍に立てかけてあった雪ベラで、手早くかいているところであった。

「やあ、しばらく」

門までの雪をきれいにかたづけて整はニッコリと笑った。

「ごめんなさい。雪掻きまでしていただいて」

「と、お礼をいわれたくてやってるんだから、さもしい根性だよね」

さらりとしたいい方が、気持ちよかった。

整はさっさと靴を脱いで中にはいった。

「なあんだ、おばあちゃんも叔母さんもいないの」

茶の間に突っ立ったまま、整はあたりを見まわした。清潔にかたづいている部屋の中は、冷たい感じを与えるほどだ。保子らしい整理整頓の仕方である。

「そうなの。今日は出稽古の日なのよ」

「叔母さんも？」

「母も今年からは忙しいのよ。以前は出たがらなかったんだけど……」

　語尾を濁した恵理子の気持ちを知ってか知らずか、整はストーブの傍にあぐらをかき、

「そりゃよかったな。叔母さんも少し外に出るようにしたほうがいいと、ぼくは思ってたんだ」

「どうして？」

「だってそうじゃない？　おばあちゃんがいくら気丈だって、年々歳（とし）をとるからね。いつまでも出稽古ってわけにもいかないだろ」

「そりゃそうね」

「出稽古のほうがみいりがいいって、おばあちゃんがいってたね。とにかく小母（おば）さんがおばあちゃんの代わりに働かなきゃ」

「あら、そんなことまで整さん考えてくれていたの」

「そうさ。人のふところの心配までしなけりゃいけないんだからな。ぼくも忙しいよ」

　語調はざっくばらんだが、恵理子を見る目は眩しげだった。

「お紅茶？　コーヒー？　それとも緑茶？」

　いとこどうしらしい親しみを見せて、恵理子が首をかしげた。その恵理子を整は一瞬凝

視したが、さりげなくいった。

「飲み方は知らないけど、お薄(うす)を所望しようかな」

「あら、珍しいのね。うれしいわ、お薄を飲んでくれるなんて」

整はちょっと淋しく笑って、

「なあ、恵理ちゃん。人間って、いろんな役どころに生まれてきてるんだね」

と、別なことをいった。

「いろんな役どころ?」

お茶の用意をしながら、恵理子はストーブの向こうで聞き返した。

「うん、テレビなんか見てると、二枚目はいつも二枚目。悪役はいつも悪役。脇役も道化役もだいたい決まってるよね」

「そうねえ。そういえばそうかもね」

「ぼくたちの人生もさ、それに似たところがあるみたいでさ」

「あら、じゃ整さんは何役? 二枚目じゃない?」

「そう願いたいところだがね、どうやら道化役さ」

「そうかしら」

「そうさ、道化役さ。しかし、人生には道化役も必要だからね。人を笑わせたりする馬鹿も、いなけりゃならないんだよなあ、この世には」

整の表情がかげった。

「あら、すっかり道化役みたいなことをいって。整さんみたいな人って、女性に好かれるわよ。明るいし、たのもしいし」

「いや、ぼくはやっぱり道化役だな。ま、その役に、べつだん不満はないけどさ、死ぬ時には、一度ぐらい二枚目になりたかったなって、思うかもしれないけれどね」

「二枚目よ、整さんは」

いつもの整と、どこかちがうと思いながら、恵理子は茶せん通しをしている。

「二枚目ってえのは、西島君みたいのさ」

「あら、西島さんをご存じなの」

「いつか香也子と街を歩いていた時、会ったことがあるよ」

「あら、そうだった？」

西島という名に、恵理子の表情が微妙に変化したのを、整は見た。

「恵理ちゃんはヒロインで、西島君は二枚目で、香也子は悪役、章子ちゃんは脇役か」

「あら、そんなことないわ。西島さんがいってたわ。みんなが、銘々の人生の中で主役だって。脇役や通行人に見える人も、その人の人生の中では主人公なんだって」

「なるほど、西島君って、いいことをいうんだなあ。やっぱりおれの負けか」

出されたお茶を、整は両手で押しいただくようにして飲んだ。

玄関の戸のあく音がした。

「ただいま」

ツネの声だ。恵理子が立ちあがって迎えに出た。

「寒いね、今日は。おや、整さんかい」

はいってくるなり、ツネはぺたりと坐った。

「保子は、出稽古だね」

「ええ、今日は北島さんのところと原口小児科と、二軒まわってくるから、遅くなるって……」

「原口さん？　こないだも原口さんじゃなかったかね。ちがったかねえ」

「おばあちゃんは、いつも元気だなあ。ぼくもおばあちゃんの歳まで、そうぱっちりと生きられるかなあ」

「何をいってるんですよ、いい若い者が。おばあちゃんはこれでもね、あんたがたと十ぐらいしか歳はちがわないつもりでいるんだからね」

ツネは笑った。寒さのせいか、少し顔色が赤い。

「それはそうと、風邪を引いたのかねえ。ちょっと寒気がするよ。頭も痛いし」

「なあんだ、元気なこといっても、やっぱり十以上はちがうようだねえ、おばあちゃん」

整が冗談をいったが、恵理子は心配そうに、

「頭が痛いって、おばあちゃん、お薬を飲まなきゃ」

「なあに、少し横になったら、なおるだろうよ。もう三月だっていうのに、こんなに寒くならなくてもいいのにね」

なんとなく恵理子は不安を感じた。いままでツネが外から帰って、すぐに着替えをしないということは一度もなかった。どんなに寒い日でも、どんなに疲れている時でも、ツネはすぐに普段着と着替えるはずであった。

それが今日は、ストーブの傍に坐ったまま、動こうともしない。顔が妙に赤い。恵理子はツネのために、急いで葛湯を作った。弟子の一人から贈られたこの葛菓子は、葛湯にすると体があたたまる。

「で、整さんのほうは変わりがないのかい？　お父さんもお母さんも」

葛湯をひとさじ口に入れながら、ツネがいった。

「おやじたちには変わりはないけど、ぼくに変わりは大ありさ」

「へえー、お嫁さんでも決まったのかね」

「そうばっちり当てられちゃあ、照れるなあ」

ちらっと恵理子を見ながら整は頭をかいた。

四

照れたように頭を掻く整に、恵理子もいった。

「ま、ほんと？　整さん結婚するの。よかったわねえ」

整は黙って首をなでた。整が本当に心惹かれているのは、この従妹の恵理子なのだ。従妹という血縁関係が、その感情をあらわにすることを阻(はば)んできた。が、整の心の中にはいつも恵理子があった。たぶん、従妹ということだけで、周囲が反対するだろうと、はじめから諦(あきら)めていた。

しかしそれだけに、恵理子にたいする感情は純粋だった。決して得られないであろう恵理子であるだけに、なんの打算もなく恵理子を想うことができた。そしてそれが自分の青春だと整は思っていた。自分の想いをあらわすまいとする気持ちには、常に戦いがあった。その戦いが青春だと思ったのである。が、その青春に、いま整は自分自身の手で引導を渡すつもりで、恵理子を訪ねてきたのだ。

「どんな嫁さんをもらうのかね」

ツネが目を細めた。

「実はさ、ね、おばあちゃん。ぼく、恵理子さんをもらおうと思ってさ」

「冗談いって」

ツネが笑い、恵理子が笑った。まに受けてもらえないだろうことを、整は知っていた。が、こうして笑われると、はじめてふっきれるものがあった。わざと整は口を尖らせて、

「笑うことはないだろう、おばあちゃん」

「笑いますよ。第一、いとこどうしじゃないの。いとこづれは、悪いところだけが似やすいというからね」

「そうか、恵理ちゃん、駄目か」

「整さんったら冗談ばっかりいって。相手がどなたかちゃんとおっしゃいよ」

立ちあがって恵理子は電灯をつけた。

「一番目が駄目なら、二番目と行くか」

これでいい、これですんだと思いながら、整は、

「じゃ、章子さんに決めた」

あっさりと白状した。

「あら、章子さん?」

香也子からそれとなく聞いていたが、恵理子はほっとしたようにいった。章子には、整

はうってつけの夫に思われた。

「章子さんって、誰かね」

　ツネは整へとも恵理子へともなく尋ねた。

「うん。おばあちゃん、よく知らないだろうけどさ、香也ちゃんの姉さんさ」

「ふーん、……そういえば、お盆に墓地でちょっと会ったことがあるねえ。あのおとなしそうな……」

「そうよ、あのかたよ」

　熱いお茶をいれながら、恵理子は相槌を打つ。

「そうかい。あの子をもらうことにしたのかい」

　まじまじと、ツネは整を見た。

「駄目かい、おばあちゃん」

「駄目ってことはないけどさ、なんだか複雑になって小説みたいだね。ま、あんたのすることだから、まちがいはないだろうさ」

　心なしか、ツネの顔から精気が失われている。

「なんだ、いやにがっかりしたようないい方だね」

　いった時、ツネの頭がくらりと動いた。と思うまもなく、ツネの体が崩れた。あわてて整が支えた。

「どうしたの？　おばあちゃん!?」

いいながら整は、そっとそのままツネの体を畳に横たえた。

「おばあちゃん！」

うろたえて肩をゆさぶろうとする恵理子の手を、整がおさえた。

「ゆさぶっちゃ駄目。医者を呼ぶんだ。ここから動かしちゃいけない」

てきぱきと指示した。

五

「そうと決まったら、かえって安心じゃないの、あなた」

きものに手を通しながら、床の中の容一をふり返った保子の姿が、明るい電灯の下にあでやかだった。腹這いになってタバコをのみながら、

(この女は、芸者になったほうが似合うんじゃないか)

と、容一はニヤニヤと保子を見ていた。きものの着こなしもどこか粋で、坐る時立つ時の体の線になまめかしさがにおう。妻の時にはなかった線だと、容一は楽しむ目になった。

「そうだなあ、整が章子の後かたづけをしてくれるとは思わなかったよ」

「整さんなら、うまくやっていくわよ」

「そうだな。あいつもいっていたが、並の亭主じゃ、香也子から守りきれん、なんてな」

「ほんとうねえ。香也子にはまいってしまうわ。どんなつもりで金井などという男と結婚するつもりなのかしら」

「さっぱりわからん。このごろおれも、香也子を見るといらいらしてくる」

「しかたがないわ。そんなことといったってわたしたちの子供ですもの」

帯を形よく結んで、鏡に映した。

「生んだのはお前だから、母親は確かにお前だが、ありゃほんとうにおれの子かねえ」

「まあ！　怒りますよ、あなた」

帯じめをきっちりとしめて、保子は容一の枕もとに坐った。章子にやるといったこの家を、容一は時々会社の会議に使ったりしていた。別段使う必要はなかったが、その間を縫って、保子と会うためには、そのほうが出入りがめだたなくてよかったからである。旭川に顔の広い容一には、ホテルも旅館も使いやすくはなかった。保子にしたところで、茶道仲間の顔見知りが少なくない。その点この家は、あたりにまだ人家も疎(まば)らで、ぽつんと離れていたから、格好の場所でもあった。

「保子、この家は、あと何度使えるかなあ」

「あら、どうして？　整さんたちの結婚は秋だったんじゃない？」

秋ならば、九月としても、あと半年はあると保子は思っていた。

「うん、章子がねえ、来月からここにひとりで住むそうだ」

「あら、来月から？」

とがめる声になった保子に、

「しかたがないさ。最初っからあの子にやるつもりの家だからね」

とタバコをもみ消した。

「どうして、ひとりでここに住むのかしら」

「そりゃあ、家を出たくもなるさ。香也子の奴が、傍若無人に金井に電話をかけたり、泊まってきたり、そのうえ、したい放題、いいたい放題だろう」

「あなたが甘やかして育てたからよ」

「甘くもなるさ。生みの母がいないんだからねえ」

「あら、いられないようにしたのはどなたよ」

「男が一度や二度浮気をしたぐらいで、飛び出すようじゃ、母親じゃないよ」

「まあずるい。あなたが浮気をしたからいけないのよ」

「男なんて、百人が百人浮気するもんさ」

「そんなことといって、男って勝手ねえ」

ふたりは、いままで幾度かくり返したことを、いままたくり返していい合った。

「わたし、出稽古にきたことになってるのよ。もう帰るわ」

保子は腕時計を見た。七時を過ぎている。

「七時まで出稽古ってことはないんだろう」

「ええ、まあ。でもお食事をいただいてきたとか、なんとかって、ごまかすわ」

いたずらっぽく保子は笑った。

「じゃ、腹をすかして帰っても、ご飯を食べることもできまい」

「ええ。天金で何かいただいて行くわ」

「ああ天金か。あそこの陶板焼はうまいぜ、一緒に行こうか」

「駄目よ。つれだってはいけないわ。目に立つもの」

その時、小さく音がした。

「あら」

ふたりは顔を見合わせた。無線が容一のポケットにはいっていて、火急の用事がある時は、その無線が鳴るのである。無線が鳴れば、どこにいようと、会社に電話をいれなければならないのだ。

「なんの用事かな」

寝たまま、容一がダイヤルをまわした。当直の社員の声がした。

「もしもし、あ、社長ですか、あのう……恵理子さんとおっしゃるかたから、至急お電話をくださるようにとの、ご伝言です」

「恵理子から？　よしわかった」

受話器を置いて、容一は保子を見た。南よりの風が出たのか、風のうなりが窓越しに聞こえた。堤防が近く、南風はまともに家に当たった。

「何かしら？」

保子が不安そうな顔をした。

「おれと会うって、恵理子にいってきたのかね」

「ええ、香也子のことで相談があるって、恵理子にだけいってきたのよ」

「おばあちゃんまた、感づいたんじゃないのかね。いやだよおれは、電話して叱られるのは」

「あら、わたしにでなくて、あなたに電話なの？」

「うん、宿直はそういっていた」

「でも、恵理子からなら、わたしがかけてみましょうか」

「いや待てよ。万一おばあちゃんが嗅ぎつけてよこした電話なら、お前が出ちゃバレちゃうじゃないか。しかたがない、おれがかけてみるさ」

今度は起きあがって、パジャマ姿のまま受話器を取った。

「もしもし、藤戸でございます」

すぐに恵理子の声がした。ほっとして、

「あ、お父さんだ、なんの用かね」

「あの、お母さんがどこにいるか、ご存じですか」

ひどく緊迫した語調には、久しぶりに父親に電話をかけたという娘らしい甘えはなかった。

「ああ、お母さんとは、話し合いが終わったばかりで……ここにいるがね」

「あのう、お父さん、おばあちゃんが倒れたんです」

語尾がふるえた。

「何? おばあちゃんが倒れた」

叫んだ容一に、

「えっ、お母さんが!?」

と、思わず保子は受話器に飛びついた。

「恵理子! おばあちゃんが倒れたって?」

「そうよ、さっきお医者さんを呼んだところだけど、まだこないの。すぐに帰ってちょうだい。あ、お医者さんがきたわ。じゃ、早く帰ってね」

あわただしく受話器をおく音を、保子は茫然と聞いた。

六

容一は、なんとなくうしろめたい思いでわが家のドアを押した。と、まるで待ちかまえていたかのように、玄関に扶代が立っていた。

「お帰りなさい」

心なしか、扶代の言葉が切口上に聞こえる。今日はべつだん遅く帰ったわけではない。いやむしろ、早めに帰ってきたくらいだ。そう思いながら、容一は扶代の視線を避けるように、

「風が出てきたな、まあ雪どけ風だね」

と、オーバーを脱いだ。

「ほんとうですわね。ぼつぼつ春ですわ」

今度は扶代の言葉が優しく聞こえた。ほっとして、容一は着替えに二階にあがって行った。うしろからついてくる扶代の足音を聞きながら、容一は落ちつきなく、藤戸ツネの容態を思った。

電話を聞いた保子は、ざくざくとザラメ雪を踏んで帰って行った。三月にはいると雪が

ザラメ状になって歩きにくくなる。ツネの容態が心配で、容一もついて行きたかったが、さすがにそれはできなかった。

「万一の時には、すぐ知らせますわ。香也子の血を分けたおばあちゃんですもの、それはかまわないわね」

念を押すように、保子はいっていた。うっかりツネのことを知らせて、容一の家庭に波風を立ててはならぬと保子は思ったようだった。

「かまわんさ」

答えながら容一は、ツネが死んだらおおっぴらに保子の家を訪ねていけるようになると、ふっと思った。

いままた、容一はそのことを思い出した。容一にとって、ツネは決して快い存在ではない。ツネさえ騒ぎ立てなければ、保子とは別れないですんだのだという気持ちがある。ツネが自分たちの家庭を二つに引き裂いたのだという恨みもある。容一の浮気を口実としてツネは一人娘を取り返したような気がする。もしツネという存在がなければ、保子は決してあの時、自分から離れなかったのではないか。容一はそう思ってきた。

扶代という女に、惹かれて行った当時の自分の心情は都合よく忘れている。潔癖すぎる保子との生活に疲れていたことも、あまり思い出さない。ツネがいたために、結局は別れたような心情になっている。容一はそれを、自分勝手な責任転嫁だとは思ってもみない。

「会社から電話がきてましたよ」

背広をうしろから脱がせながら、扶代がいった。

「ふうん」

無線はポケットについているが、家にだけは一応電話で問い合わせることになっている。家にいる時は、着がえたり、風呂にはいったりしていて、無線は使わないからだ。早めに帰ってきても、会社からまっすぐに帰ったのではないと、扶代は察している。容一は保子の移り香を扶代に悟られまいと気を配りながら、

「熱燗で一杯やりたいな」

と、大島のきものに手を通した。保子は自分に会う時、香水は使わない。だが化粧はしている。ふだんあまり化粧をしない扶代には、その移り香が敏感にわかるのではないかと、保子に会うたびに、容一は心を使う。

「熱燗ですね」

扶代は先に部屋を出た。容一は畳の上に大の字になった。床の間の掛軸が昨日と変わっている。『義高国罪辱民』という隷書(れいしょ)だ。

「義は国を高め、罪は民を辱(はずかし)める、か」

扶代が出ていくと、さっきまでの落ちつかなかった思いが、ふいに消え、容一は内心口笛を吹きたい思いにさえなった。ツネが倒れたという知らせが、容一の心をしだいに明るくしていったのだ。解き放たれた思いなのだ。扶代と別れ、保子と再び結婚することも可能に思われる。あるいは、扶代とはこのままでも、月の半分は保子の家に住んでもいい。

(妾宅か……)

なんとなく容一はニヤニヤとした。容一にとって、掛軸の言葉は、なんの痛痒(つうよう)も感じないものだった。別れた妻と会うことに、罪の意識はない。今日珍しく、うしろめたい思いになったのは、ツネが病に倒れたという驚きのためだった。驚きが、なぜかうしろめたい感情を引き起こしただけなのだ。が、その驚きも去ると、容一の心は自然とはずんでくるのだった。

(だが、中風なんぞになられては困るな)

常に長い病気で寝られては、容一の楽しみの邪魔になる。そう考える自分が、冷酷だなどとは思わない。とその時、部屋の戸がノックされた。返事をする間もなく、香也子がはいってきた。

「なんだ、寝ころんでたの、お父さん」

空色のパンタロンをはいた香也子は、畳の上に寝ている容一を、立ったまま見おろした。

「うん、疲れてな」

「いまさっき電話があったわよ」

「誰から？」

「それがね、大変なの。倒れたのよ。誰が倒れたと思う？」

「倒れた？」

容一はわざとらしく視線を宙に泳がせ、

「さあ、誰かな」

「電話をくれたのは整さんよ。小母さん、いってなかった？」

「整から電話がきたってか」

「そうよ。藤戸のおばあちゃんが倒れたって」

「藤戸のおばあちゃん？」

容一は大仰に飛び起きた。起きながら容一は思った。

（そうか。扶代は知っていたのか）

先ほどの扶代の顔を容一は思ったのである。

七

容一は、盃に映る電灯の光を黙って見つめている。やはり、今夜倒れたというツネの容態が気になるのだ。べつだん助かってほしいというのではない。ただ、容態が気になるのだ。自分の長い間の敵が、いまこの世を去るか、あるいはそのまま半身不随になるか、いずれにしても、自分の敵ではなくなっていこうとしている。それはそれで、容一にはひとつの感慨であった。

その容一の様子を、扶代も章子も、香也子も、そしてお手伝いの絹子も見つめていた。

沈黙を破るように香也子がいった。

「何を考えてんの、お父さん」

「うん?」

ちょっとうろたえて、容一は香也子を見た。すでに銚子を二本空けた容一の目が、とろんとしている。

「いや、なに、昔の歌を思い出していたんだ」

「歌?　どんな歌?」

「どんなって、お前、その文句を忘れたから思い出そうとしてたんだ。な、扶代、盃の中に、電灯が映っている歌があったよな」

「ええ、ありましたわ」

扶代は鬱屈した表情のまま答えた。容一の心がここにないことを扶代は感じとっている。

「うたってみろよ、扶代」

扶代の歌は、しっとりとうるおいがあって、うまい。以前はよく、低い声でうたっていたものだ。

「いやですよ、あなた」

「いやってことはないだろ、いやってことは」

「だって、あなた。香也ちゃんのおばあちゃんが、どんな容態かわからないのに……」

「まだ死んだわけじゃないだろ。死んだらなんとかいってくるさ。おい、うたえよ」

珍しくしつこく容一は食いさがる。と、黙ってすき焼の鍋を突ついていた章子が、顔をあげていった。

「お父さん、わたしうたうわ。その歌、わたし知ってるわ」

思いつめたようなまなざしで、容一を見つめたまま章子はうたいだした。

盃に　うつる灯りを　飲みほして　今宵は歌おう　わが友よ

扶代とちがって、まるみのない声だった。小学校の唱歌をうたうように、章子は歌う。

容一はぽんと膝を叩いて、

「そうそう、その歌その歌」

と拍子をとりながら、ともにうたいだした。

とたんに香也子がいった。

「なによ、なにも今夜うたうことないじゃない。いくら章子さんのおばあちゃんじゃなくても、そんな歌、うたうことないじゃないの」

香也子は章子を睨みつけた。章子は黙って香也子を見たが、

「あなたのお父さんだって、うたったじゃないの」

「おとうさんはね、おばあちゃんのことが心配だからうたったのよ。心配で心配でたまらないのよ」

「でも、うたえといったのは、あなたのお父さんよ」

「なにも章子さんまでうたえとはいわなかったわ」

「でも、わたしの母にうたえっていったわ。母はいやだっていうのに、うたえっていったわ。

だからわたし、うたってあげたのよ。文句をいうんなら、あなたのお父さんにいったらどう?」

章子は、もはや以前の章子ではなかった。

「あなたのお父さん」という言葉が聞く三人のそれぞれの胸に、刺(とげ)をさすような言い方だった。容一が、

「そうだ、そうだ。うたえといったのは、おれだもんな。だがな章子、わしは香也子だけの父さんじゃないよ。お前の父さんでもあるんだよ」

「あら、そうですか」

章子は、ちらりと容一を見、小鉢に鍋の肉を取っていれた。

「あらそうですかは、ないだろ。ちゃあんとお前のために、立派な家だって建ててやったじゃないか」

章子は、箸をおいて、視線を正した。

「あの……あの家は、わたし、いりません」

「何!? いらない?」

「いりません」

容一は顔をこわばらせた。

「何が不足でいらないんだ、何が不足で……」

「いま、ここでそれを……いいたくありません」

章子がうつむいた。香也子が手を叩いて、

「ま、ほんと？　章子さんほんとにいらないの」

わざとのぞきこむように、顔を近づける香也子に、章子はきっぱりといった。

「いらないわ、あんなうち」

「あんなうち？　言葉が過ぎますよ、章子」

さすがに扶代もたしなめた。が、容一は手酌で酒を注ぎ、むっつりとそれをあおった。

（あんな家か）

何が章子にそういわせたのか、容一は探るように章子を見た。章子は硬い表情で箸を使っている。香也子は二つめの卵を小鉢にほぐしながら、

「へえー、あんな家ね。あの辺でいちばんいかすじゃないの。カッコがいいわよ。ベージュ色の壁だって、屋根の形だって。それに塀だって、ブロックでなくて、鉄柵だから開放的だし……わたしならあの家に住みたいな」

誰一人、香也子の言葉に答える者はない。

章子は一昨日、あの家に行ってみた。容一が鍵を渡してくれたからだ。整と住む家を章

子も見たいと思っていた。仙台に章子がいると分かった時、容一は電話で、

「お前の家ができているんだからな、なんの遠慮もしないで帰っておいで」

といってくれた。それは章子にとって、うれしい言葉だった。

整から結婚の申し込みを受けたのは、半月ほど前の二月二十日だった。スキー場にふたりで行った二度めの時だった。

「な、章子さん。ぼくね、スキーは下手なんだ。ここから下まで、もし一度も転ばないで滑ったら、ほうびをくれないか」

整はいった。

確かに整は、どこか不器用なところがあって、時々転んだ。転ばなくてもいいところで、突如として転んだ。章子よりもスキーは下手だった。その日は嵐山スキー場に行った。スキー場の中腹が、ちょうど狸の腹のようにせり出していた。かなり上手な者でも、ふもとまで転ばずに滑降するのは、むずかしいスロープだった。

「ほうび?」

「うん、ほうびだよ。ほうびをもらえるとなると、ハッスルするからな。しがないセールスマンの悲しき性(さが)だがね」

おどけたようにいう整に、章子は答えた。

「なんでもあげるわ。整さんになら時計でも、毛皮でも……」

整は、きれいに晴れた冬空をじっと見あげていたが、

「じゃ、ぼく章子さんをもらう」

と、宣言するようにいった。冗談だと思った。が整は、まじめな顔でいった。

「いいかい章子さん、君はぼくのお嫁さんになるんだ」

いったかと思うと、整は眩くきらめくスロープを斜めに滑りだした。

（いいかい章子さん、君はぼくのお嫁さんになるんだ）

思いがけない整の言葉が、章子の耳の中で鳴った。章子には金井との過去がある。愛想のつきはてた相手ではあるが、自分が傷つけられた思い出だけは消えない。金井を思うと、章子は自分自身がいかにもおろかしく、軽薄に思われた。汚れきったからだだとも思うのだ。傷ついて以来、章子は、陰になり日向になり、やさしくかばってくれた整がしだいに慕わしく思われてきた。が、金井との過去を何もかも知っているはずの整が、自分をまともな女性として扱ってくれるとは思えなかった。

章子が仙台のおにぎり屋に勤めたのは、整がその店のなじみだといっていたことを思い出したからだ。はたして整はそこに現れた。その整に金井のことも、記憶喪失のことも、章子はかくさずに話した。そしてこの店に勤めた理由も素直にいった。

以来、整のあたたかさは変わらなかった。いや、以前にもまして章子を大事にしてくれた。

だがそれを、章子は整の性格として、やさしくせずにはいられないのだろうと思っていた。章子は、自分がめだたぬ平凡な女性であることをよく知っていた。平凡なうえに、自分は傷ついているのだ。そう章子は自分を卑下していた。

ところが思いがけなく、

「君はぼくのお嫁さんになるんだ」

と整がいったのだ。

章子は、人々の間を縫って慎重に滑って行く整の青いヤッケを目で追った。

整は直滑降を避け、スロープを斜めに横切り、そしてまた斜めに横切った。ゆっくりと滑って行くその姿を、章子は祈る思いで見つめていた。なかほどまで行った時、整の片足があがって、姿勢が崩れた。ハッと章子は息をつめた。が、あやうく姿勢をたてなおして、山陰に消えた。

やがて整の姿が、無事に山のふもとに小さく見えた。整がふり返ってストックをあげ、そのストックで大きく円を描いた。章子もまた大きく円を描いて滑りだした。制動をきかせながら、章子もまた転ぶまいとした。転んでは、整の妻になれないような気がした。

無事に整の傍まで滑り降りた時、章子の頰は涙でぬれていた。

「ほうびをくれるね」

そういう整に、章子は嗚咽(おえつ)をもって答えたのだった。

その整との婚約は、まだふたりだけのものではあったが、章子は母の扶代に伝え、扶代は容一に伝えた。

整との結婚が決まると、章子は俄(にわか)に、自分のために建てられた家に住みたくなった。というより、これ以上香也子と生活をともにすることに、耐えられなくなったのだ。

香也子は相変わらず、週に一度は外泊したし、章子の前で、わざと大きな声で金井に電話をかけた。

金井にはなんの愛着もなかった。いや、嫌悪だけが残っていた。それだけに、香也子の口から金井の名を聞くことは、忘れたい過去の世界に、引き戻されるようでやりきれなかった。

章子は、生まれ変わったようになりたかった。過去とは絶縁したかった。そのためには、香也子の傍から離れねばならなかった。

香也子の世界から離れようとした時、章子は、自分のために建てられたという家を、俄に見ておきたくなったのだ。いや、見ておきたいというよりも、すぐにもそこに移り住んでしまいたくなったのだ。

で、章子は容一にいった。

「あのう……ほんとうにわたしに家をくださるんですか」

「おう、あげるとも。どうしてだね」

「あのう、一応ちょっと見たいんです」

「見たい？　あ、そうか。章子はまだ見ていなかったね。そうか。実はね、会社の寮代わりに時々使っているんでね。布団や何かを持ちこんでいるんだが」

「じゃ、会社の寮になったんですか」

「いや、家は建てたが、お前が急にいなくなったろう。それでだ、営業所から出張してくる連中を泊めたりしてね。ま、有効に使っていたのさ。いいよ、そのつもりなら、明日にでも見に行くがいいさ」

そういって、容一は鍵を渡してくれた。

「もうひとつ鍵はあるがねえ。会社の者が預かっているから……」

容一はそうつけ加えた。そのもうひとつの鍵を、実は保子が持っているとは、むろんおくびにも出さない。

章子は、できたらひとりででも、四月には移り住みたいといい、その翌日午後、地図を頼りにひとりで出かけて行った。

その家は橋宮家から三キロほど離れていて、美瑛（びえい）川の堤防近くに建っていた。行ってみると、章子が漠然と想像していた以上に、瀟洒な建築だった。門から玄関まで、五、六メートルはいる両側に、ナナカマドやアララギの植え込みのあるのも、若い自分たちにはもったいないように思われた。

ドアの鍵穴に、鍵を差しこんだ瞬間、章子は名状しがたい感動を覚えた。それは、自分の新しい運命が、いまこの瞬間にひらかれるような、そんな強い感動であった。

章子は玄関にはいった。ゆったりとした玄関のホール。ホールの上のシャンデリアふうの電灯、造りつけの、しゃれた下駄箱、その上は飾り棚ふうに、形のいい古潭石や金山石までおいてある。そのひとつひとつを眺めながら、章子は改めて、容一のあたたかい配慮を感じとっていた。ホールの真正面に、レモン色のじゅうたんを敷いたやや幅広な螺旋階段がある。章子は、そこから降りてくる整を想像しながら微笑した。

左手のドアをあけると、床の間付きの十畳の和室があった。はめこみ式の和ダンス、それに鏡台さえもがすでに備えられている。その奥は十畳の洋間で、南から日がいっぱいにさしこんでいた。応接用三点セットがおかれ、淡いグリーンのじゅうたんが、清潔な感じだった。

右手の、広々とスペースのとられたリビングキッチンは、十二畳ほどもあろうか。洗濯機も冷蔵庫もおかれてある。

二階の六畳、八畳の和室も、おざなりな建築ではなかった。二部屋とも、南から日を受けるように建てられ、寒い北国には申し分のない間取りである。

(もったいないわ)

幸せな思いで、階下に降りてきた。その幸せな自分の顔を、鏡にうつしてみたい思いで、和室の鏡台の前に坐った。鏡の中にうつる自分の顔は、いきいきとしていた。早く整もこにつれてきたい思いで、章子は鏡の中の自分にほほえみかけた。

(お父さんごめんなさい)

この家が完成されたころ、自分は山形のブドウ園で、記憶喪失にかかったまま働いていたのだ。理由はたとえ何であるにせよ、娘に家を出られた容一の落胆は、どんなに大きかったことかと、いまさらながら章子はしみじみと感じた。

そして何気なく、章子は鏡台の引き出しをあけた。引き出しの中には、ポマードや乳液があった。今は会社の寮として使われているのだから、その人たちのために用意されているのかもしれないと思った。

次の引き出しをあけた。ポケットにはいるほどの平べったい箱があった。チョコレートかキャラメルでもはいっているのかと、手に取った瞬間、章子はハッと箱を取り落とした。それは、まざまざと金井との夜を思い出させるものであった。箱の色こそちがってはいても、それは金井が使ったものと同じ避妊用具だった。

章子は茫然とした。あまりにも思いがけないことだった。金井と持った夜がいやでも目の前に突きつけられたような気がした。整と自分の新たに始まろうとする生活が、泥手で汚されたような、戦慄（せんりつ）を覚えた。

章子はぼんやりと坐っていたが、やがてその引き出しをしめ、庭に目をやった。菰（こも）で冬囲いをした庭木さえ、くもった空の下に白々しいものに見えた。

と、その時、人影が門のあたりに見えた。ザクザクとザラメ雪を踏んで、はいってくるその姿に見覚えがあった。保子だった。

玄関のドアを、鍵であけるらしい音がする。すでにあいていることを知らないようであった。が、ドアはあいたかと思うと、すぐにしまった。そして、そそくさと帰って行く姿が見えた。恐らく章子のブーツを玄関に見、あわてて帰ったのであろう。

章子はすべてがわかったような気がした。容一がひとつの鍵を持ち、もうひとつの合鍵を保子が持っていることの意味を。

その時の保子の姿を思い出している章子に、香也子がいった。

「じゃ、わたしがもらうわよ、あの家。いいこと？　章子さん」

「どうぞ」

章子は抑揚のない声で答えた。

八

さすがに彼岸である。日ざしがツネの床のあたりまでいっぱいに差しこんでいて、ストーブの火もいらないあたたかさだ。保子が台所で、昼食の後始末をしている。食器のふれ合う音、蛇口から水のほとばしる音、それらの音を聞きながら、ツネはうつらうつらとしている。

恵理子が、食後の薬を持ってツネの傍にきた。ツネが目をあけた。

「あら、眠ってたの、おばあちゃん」

このごろツネは、半日は起きている。さいわいツネの脳内出血は軽かった。半身不随(はんしんふずい)にもならず、言語も明晰だ。倒れた当座は、何日か舌がもつれていたが、いまはもとにかえっている。

「ああちょっと、うつらうつらしてたよ。おはぎが少し多かったかねえ」

と、恵理子の手もとを見て、

「おや、また薬をのまなきゃならないのかい」

と眉をひそめた。

「だって、お医者さんが、薬だけはちゃんとおのみなさいって、おっしゃったわよ」

「薬ってものはねえ、恵理子、そんなにつづけちゃいけないものだよ。昔の人はそういったものだがね。薬よりさ恵理子、その長谷川一夫さんの写真でも見せてちょうだいよ」

「まあ、おばあちゃんったら」

笑いながら恵理子は、文机の上のブロマイドのはいった小さな額を、ツネに手渡した。

「いい男だねえ。ねえ、恵理子、おばあちゃんはね、倒れた時思ったんだけどね。この人の舞台だけは、どんなことがあっても、もう一度見たいとね。それまでは死んでたまるかと思いましたよ」

保子の台所で笑う声がした。恵理子も笑った。

「笑いごとじゃありませんよ。おばあちゃんがこんなに元気になったのは、長谷川一夫さんのおかげですよ。もう一度見たい、もう一度見たいと思わせてくれた、この人のおかげですよ」

「そうね、そういえばそうね」

「そうですよ。人間、なんでもいいから希望だけはもたなくちゃね」

ツネはほれぼれと、長谷川一夫のブロマイドを見つめた。豆しぼりの日本手拭いを鼻の下で結んだ鼠小僧次郎吉のいでたちで、長谷川一夫は流し目を使っていた。

「なんともいえないねえ。ありがとう」

恵理子にブロマイドを手渡すと、満足したようにいった。

「さあ、おばあちゃん、今度はお薬のむ番よ」

ツネは黙って恵理子を見たが、声をひそめていった。

「ね、恵理子。西島さんを呼んでおいでよ」

「え？　西島さんを？」

思いがけない言葉に、恵理子はツネを見た。と、その時、玄関のブザーが鳴った。保子の出ていく気配がしたが、

「恵理子、西島さんよ」

少し華やいだ保子の声がした。

「おやまあ、げんがいいねえ」

ツネがニヤニヤした。

あわてて恵理子が迎えに立った。その間にツネは、薬を布団の下にいれた。はいってきた西島はグリーンのトックリのセーターを着、手にふろしき包みを持っていた。ツネの傍にくると、

「いかがですか、おばあちゃん」

と、やさしい笑顔を見せた。

ツネが倒れてから、西島は三日に一度は見舞いにきていた。

「ありがと。もうすっかりいいんだけどね。保子や恵理子が、寝てれ寝てれっていうもんだからね」

「とても元気そうですよ、今日も。はい、これ」

西島はふろしき包みを、布団の傍においた。

「なんですね。いつもいただいてばかりいて」

「そば粉ですよ。ソバは血圧をさげるって聞きましたから持ってきました。ソバがきでもしてください」

「そうそ、ソバは血圧にいいんですよね。ありがと」

「あらそうなの。西島さん、よく知ってらしたわね」

座布団をすすめながら、恵理子はうれしそうにいった。

「いいものいただいたわね」

保子がふろしき包みを押しいただいて、台所のほうに持って行った。

「ね、西島さん、いまね、恵理子にあなたを呼びに行っておいでといったところですよ」

「ええっ？　ぼくをですか」

西島はふしぎそうな顔をした。いままでツネは、西島がきても、今日ほど愛想よく迎えたことはない。どこか一線を引いて見ていたのだ。それが今日は、最初から機嫌がいい。

「そうですよ」

「何かご用でしたか」

「ご用もご用、大変なご用事でね」

いったところへ、保子が茶を運んできた。

「保子も恵理子も、ちょっとここにいらっしゃい。いまね、西島さんに、おばあちゃんおねがいがあるんだから」

恵理子と西島は、なんとなく顔を見合わせた。そのふたりの顔を見くらべていたが、ゆっくりと半身を起こした。素早く保子が助け起こした。ツネはふとんの上に正座して、

「西島さん、この恵理子をもらってやってくれませんか」

と、まっすぐに西島を見た。

「え?」

三人の口から異口同音（いくどうおん）に驚きの声があがった。西島と恵理子の結婚に、そうたやすく賛同しないだろうと思っていたツネが、思いがけなく自分の口からいいだしたのだ。

「じゃ許してくださるんでしょうか、おばあちゃん」

思わず西島は膝をすすめた。

「許すなんて、そんな大それたことはいえませんよ。こんな娘でよかったら、おねがいしますよ西島さん」

ツネが頭をさげた。

「こちらこそおねがいします」

西島も折目正しく両手をついた。

「よかったわね、恵理子」

「ほんと。ありがとうおばあちゃん」

ツネはほっと肩を落として、

「これで安心しました。実はねえ、こうして病気になってから、わたしはね、自分がもし死んだらと、あとのことが気になりましてねえ」

「お母さん、死ぬなんて、そんな」

保子がいいかけると、ツネはじろりと保子を見て、

「死なない人間は、一人もありませんよ。生きてる以上、必ず死ぬものだからね。ねえ西島さん。そりゃあ、わたしだって、体を大事にしていりゃあ、あと五年や七年は生きるでしょうよ。でもね、やっぱりあとのことを考えてしまってね。いちばん心配なのは、この保子

のことだけれどね」

「あら、心配なのはわたしのことじゃないの、おばあちゃん」

不審そうに、恵理子が首を傾けた。

「恵理子のことなんか、おばあちゃんはひとつも心配しておりませんよ」

「だって、いま、西島さんにおねがいしてくれたでしょう」

「それはねえ、恵理子。お前のことが心配だからじゃないよ。お前はしっかり生きて行く人間ですよ。でもねえ、保子はねえ……」

いいながらツネは、保子を再びじろりと見た。

「あら、わたしのほうが心配なんですか、お母さん」

「当たり前ですよ。早いとこ、恵理子に子供でも生んでもらって、お前をおばあさんにしなければね。孫でもできれば、少しはしっかりするだろうと思ってね」

「まあ！　わたしは信用ないのねえ、お母さんに」

保子は笑ってごまかしたが、胸に応えるものがあった。

「ところでね、西島さん。あんたは長男でしたかねえ」

「ええ、長男です」

「そうかい、じゃ、この旭川にいつまでもいるってわけには、いかないんですね」

ひどくがっかりした声で、ツネはいった。

「いえ、ぼくの弟や妹は、いまの母の子供ですから、いっそぼくは、いないほうがいいんですよ」

「へえー、じゃ、あんた、二度目のお母さんを」

「いえ、三度目です」

「三度目!?　そりゃあ苦労しましたねえ」

「さあ、苦労したのは、母たちのほうじゃないですか。ふたりとも、ほんとの母よりやさしかったようですよ」

いつかも西島がそういっていたのを、恵理子は思い合わせてうなずいた。

「じゃ、恵理子と結婚したら、この家に住んでくれますかねえ」

恵理子がどこに住むか、ツネはそれがいちばん気がかりなのだ。保子が見かねて、

「お母さん、若い人たちは、ふたりっきりにしてあげなくちゃあ」

「そんなことないですよ。ぼくは、デザイナーの仕事をしてるせいか、いつも思うんですよ。一軒の家に三代の人間が住むって、すごく大事なことじゃないかって」

「へえー、どうしてですかね。いまどきの若い人には珍しいこと」

ツネが目を見張った。

「人間は歴史の中に生きてるでしょう。三代の人間が、それぞれもっているよさを吸収し合うって……なんていうかなあ、人間に幅やふくらみが出てくるような気がするんですよ。それに、長く生きてきた人の経験にふれるって、大事でしょう。誰でも、人間は伝えなければならないものをもってるわけですから」

「へえー、西島さんて、お若いのに、よくそんなことを考えますねえ。珍しいかただこと」

くり返してツネは感心した。

「だって、ぼくたちがいま考えてることや、してることって、代々何万年となく、親から子へ、子から孫へと引きついできたわけでしょう。ぼくたち、デザインを考えるんだって、突如として何かが生まれるんじゃないんですよ。伝統のよさのなかでこそ、新しい創造も生まれるっていうもんなんですよ。おばあちゃんは、茶道で一家を成しておられるわけでしょう。同じ屋根の下に住めたら、教えてもらえることがたくさんあるだろうと、ぼく楽しみなんです」

「うれしいことをいってくれるね。いまは核家族とやらいってね、ババアぬきという言葉も古びたほど、当たり前になった世の中だというのにねえ」

まんざら外交辞令だけでもなさそうな西島の言葉に、ツネの目尻から不意に涙がこぼれた。恵理子も保子も、西島の言葉を、胸の中で反芻していた。一軒の家に、三代の人間が住むことの深い意義を、西島はいま語ったのだ。それは、一人一人の人間の生き方を大事にする生き方でもある。恵理子は西島を、信頼のこもったまなざしで見た。西島と、この家で生きて行くという決意が、新たに胸に湧きあがってくるようであった。

九

感動が部屋に満ちた。一人一人が、いまの西島の言葉を深く思い返していた時だった。襖をあける音と同時に、香也子の声がうしろでした。

「あら、なあに、なんとなく何かあったみたい」

香也子は猫のように、足音を立てずにはいってきた。

「あら、香也ちゃん、いらっしゃい」

さすがに保子はうれしそうに迎えた。香也子はその保子に軽くうなずいただけで、すぐに西島と恵理子の間に、割りこむように坐った。

「おばあちゃん、いかが。おばあちゃんの好きなサクラ餅買ってきたわ」

「ありがと。もうすっかり元気ですよ。ちょうどいいところへきたね、香也子」

「ちょうどいいところって？　あら、西島さんこんにちは」

いま気づいたように、わざとらしく頭をさげて、

「何よ、いいことって？」

と、ツネの手を取った。

「いいことさ。恵理子と西島さんがね、結婚することに決まったんだよ」

うれしそうにいうツネに、香也子はつまらなそうにいった。

「なあんだ、そんなことか。そんなこと、去年から決まっていたんじゃないの？　ねえ西島さん」

ツネが一瞬不快な顔をした。

「ぼくの心の中ではね」

「あら、ふたりで、前から話は決めてたんでしょ」

香也子は、ツネが不快になるのを承知のうえでいった。

「そうかい、そんなに早くから決まっていたのかい。じゃ、わたしの出る幕じゃなかったんだね」

「冗談じゃないですよ。おばあちゃん。ぼくたちが結婚の話をしたのは、ついこのあいだですよ。おばあちゃんにおねがいしようかって話し合ったんです。ちょうどその矢先に、おばあちゃんがお話ししてくれたんですよ」

「そうかねえ」

疑わしそうにツネは恵理子と西島を交互に見た。

「そうよ、おばあちゃん。ちょうどいい時におばあちゃんがいってくれたのよ」

「そうかい、そうかい、それで安心しましたよ」

ようやくツネはもとの機嫌のよい表情になった。香也子はちょっとおもしろくなさそうに口を尖らせたが、

「じゃ、いつ結婚するの、西島さん」

と、恵理子に尋ねずに西島に尋ねた。答えたのはツネだった。

「そりゃあ早いほうがいいですよ。桜のきれいなころですよ」

「あら、それじゃお母さん、あとふた月ないじゃありませんか」

保子があわてた。

「桜のころといったら、去年の野立をしたころね。西島さんがお客さんにきてくださったわね」

恵理子は、五月に式を挙げることに賛成の口調でいった。西島は困ったように頭をかいた。

「実はですねえ、ぼく、報告することもあって、今日うかがったんですがね。近くドイツに留学することに決まったんですよ」

「まあ、ドイツに!?」

恵理子がいい、

「へえー、ドイツにねえ」

ツネがいった。

「留学といっても、十月ごろまでで、半年の間ですけれどね」

旭川市では、木工団地の青年たちに、年に何人かヨーロッパに留学させて、木工芸技術の勉強をさせていた。旭川の家具は、そうした刺激もあって、全国的に水準が高く、国内はもちろん、外国のバイヤーにも注目されている。西島の場合、技術者ではなく、デザイナーなので、留学期間が短いということであった。いわば、ヨーロッパの空気を吸ってこいという形の留学なのである。

「へえー、西島さんは優秀なんだね。じゃお式は帰ってきてからとなると、十一月になるのかねえ」

ツネはちょっと淋しそうだった。

「ええ。それと、帰ってきたら、すぐに東海大学の聴講に通うことにもなっているんです」

「ああ、あの、白い大学ね」

東海大学は、木工芸を学ぶ大学で、旭川市の西の丘にある白い瀟洒な建物の大学である。

「でも、とにかく秋には恵理子もお嫁さんになるのね。よかったわねえお母さん」

保子はうれしそうにいった。香也子が皮肉な微笑を浮かべて、

「西島さんの飛行機が、もし墜落でもしたら……お姉さん結婚できないわね」

と、子供のような口調でいった。

「何を縁起の悪いことをいうんですよ」

ツネが叱った。

「でもね、おばあちゃん。わたしのお友だちね、もう結婚するって決めたもんだから、体を許しちゃってさ、そしたら相手の人、交通事故で死んだのよ。ところが、その時妊娠五か月でね、大変な騒ぎだったの。お姉さんも気をつけたらいいと思ってさ」

けろりとした顔で、香也子は保子の出してきたサクラ餅をつまんだ。香也子は自分の一言で、みんなが不愉快になることをよく承知していた。そのうえ西島の帰国まで、恵理子に不安な思いを与えることも、計算にいれていた。

断線

断線

一

「いい景色ね、あなた」

さっきから温泉宿の窓に倚って、ガラス越しに外を眺めていた保子が、容一をふり返っていった。

「うん、いいだろう。この白金も」

満足げにうなずいて、容一も保子の傍に坐った。

燃えるような山ブドウの赤、紫がかったナナカマドの深紅、鮮やかな山桜の朱、そして桂の黄葉の中に、濃緑のトドマツやエゾマツがまじって、ゴブラン織のような豪華な秋の山であった。宿と、向かいの山の間には深い渓川があり、その色が、水とは思えぬ神秘的な色を見せている。エメラルド色に、白い絵の具をたっぷりとまぜたような色である。しかもそれが川底まで澄んで見えるのだ。

「ふしぎな色ねえ、この川の色って。ひきこまれそうな気がするわ」

若々しい表情を見せて、保子は容一の肩に頬を寄せた。

昨日の午後、保子は容一より一足先にこの白金温泉にきた。同じ車では、なんとなく人目をはばかるからだ。去年、豊富温泉からの帰りに、名寄でふたりは交通事故に遭った。それ以来ふたりは、同じ車に乗ることを恐れていた。

保子は旭川から、この白金温泉にくる道を、空港つづきの丘に選んだ。両側に熊笹の生い茂る田舎道に薄が白く光っていた。ハイヤーはゆるやかな丘の起伏を幾つも越えたが、道はどこまでもまっすぐに伸びていた。あまりにもまっすぐなその道は、果てがないようにさえ見えた。

雪のきた大雪山が澄み切った秋空の下に秀峰を現し、十勝連峰の稜線が、その右手に遠くつらなっていた。刈り入れ最中の稲田、掘り起こされた馬鈴薯畑、草を食む牛の群、道辺の野菊、風に揺れる唐黍の穂並み、その一つ一つが保子には新鮮であった。

その丘の道も果て、車はやがて白金温泉に向かう舗装路に出た。十勝岳が間近に迫るあたりで落葉松林がしばらくつづき、さらに白樺林が幾キロもつづく。あまりに見事なその白樺林に、車を降りて歩きたいような誘惑を覚えながら、保子は少女のようなみずみずしい思いに浸っていた。

それは、半年ぶりにツネの目から解放された喜びもあったのかもしれない。保子は、札幌のMデパートに注文した恵理子の衣装を取りに行くと偽って、家を出てきたのだ。

「しかし、よく出てこれたねえ。忙しい最中だろうに」

十日後の体育の日に、恵理子と西島は結婚する。西島はつい数日前、無事ドイツから帰ってきた。

「母がね、結婚式の前まで、バタバタするもんじゃないって、もう早くから用意はしておいたのよ。ただ、札幌のMデパートに頼んだものだけ、わたしが取りに行くことにしておいたの、あなたとこうして会うために。本当はもうこっちの支店に届いているのよ」

保子は、四十代とは思えぬ生き生きとした頬をほころばせた。

「なかなか悪知恵がはたらくじゃないか」

「それはあなたのお仕込みよ。それはそうと、母ってこういう結婚式だの、何かの会をひらく時は、全く配慮が行き届いているわ。西島さんがドイツに半年も行ってたでしょう。でも、木工団地のお友だちが発起人になって、うちの弟子たちと一緒に、披露のほうはいっさい準備してくれましたしね」

「なるほど。俺たちの結婚のときは、前の日まで忙しかったたっけなあ」

「そうね。もう二十何年も前の話ね。母はね、花嫁花婿には、一週間前からゆっくり心も体も休ませてあげるもんだって。やっぱり立派な茶人だわ」

「なるほど、茶人だもんな、あのばあさん」

「整（ひとし）さんのところも、三か月ですってね」

整と章子（あきこ）とは、四月に友だち数人だけを招いて、簡単な結婚式を挙げた。章子は頑強（がんきょう）に、容一の援助を拒んだ。章子のために建てた家まで、「あんな家などいらないわ」と、語調も強く断ったのだった。容一はあえて、その言葉の意味を問わなかった。章子は若い娘らしい敏感さで、何かを感じとったのだと、察することができたからである。章子は、間借りをしている整のところに、嫁入りらしい荷物を持たずに嫁いだ。

「うん、三か月だとかいっていたな」

容一はちょっと眉をひそめた。やはり章子の結婚の仕方は心にひっかかっている。

「ところで、どうしたらいいのかねえ」

容一は、滝に目をやった。窓の斜め下の崖の地中から、滝はあごひげのように渓川に落ちていた。白ひげの滝と呼ばれる珍しい滝だ。

「どうしたらいいかって……恵理子の結婚式のこと?」

「そうだよ。おれが出たんじゃ、かっこうがつかないような気もしてね」

「いいじゃありませんか。あなたはあの娘（こ）の父親なんですもの。実の父親がきているって、ちょっと感動的なものよ」

「そうかねえ。じゃやっぱり出ることにするか」

「出てくださいよ。香也子だって出るんですから」

「整たちも出るといっていたね」

「そうよ、恵理子の従兄（いとこ）ですもの」

ふたりはテーブルの傍に戻った。朝日がさして、山の紅葉が部屋の中まで照り映えるような明るさだ。

「じゃ、出ようか」

「うれしいわ。恵理子が結婚したら、一段落ついた感じがするわね」

「そうだな。章子もかたづいた、恵理子もかたづいた。香也子もどうやら金井のところに行くことになるだろうし」

「一段落ついたわねえ。でも……」

テーブルにそのふっくらとした手をおいて、保子はじっと容一を見ていった。

「一段落つかないのは、わたしたちだけねえ」

容一は視線を窓に向けて、

「そのうちにつくさ」

と人ごとのようにいった。

「どんなふうにつくの？」

「どんなふうにって……あと七か月ほどすりゃあ、章子に子供ができるだろう。そしたら、扶代も孫がかわいくて、しだいに向こうにいりびたりになるさ」

「そうはいきませんわ。整さんのところ、ひと間っきりですもの。ひと間のところに、扶代さんがいりびたりってわけにはいかないでしょ」

「いや、その点は心配ないよ。お茶をくれないか」

ぴたりと自分をみつめている保子の視線を外らすように、容一はいった。

「どういうふうに？」

ポットから湯ざましに湯を注ぎながら、保子は食いさがるように聞く。

「あそこは二階だろう。子供ができたら二階はあぶないだろう。それでね、扶代に、家を建てるようにと金を預けてあるんだ」

「あら、お金を？」

保子は不満そうな顔をした。

「うん、扶代は喜んで、章子のために、家を建てるつもりでいるよ。自分がいつ行っても泊まることのできる部屋をつくるとかいってね。離れにするそうだ」

容一はニヤニヤとした。

「でも、それだけのことでしょう。あの人と、あなたと、別れるわけじゃないんでしょう？」

「なに、あいつが孫の顔を見に行ってる間に、お前がずるずると、家にはいりこむといいよ」

「いやだわ、そんなのって」

「いやなことはないさ、もとのさやにおさまるんだ」

そういった時だった。襖の向こうでドアのあく音がした。女中が請求書でも持ってきたのかと、ふたりはそのままの姿勢で口を閉じた。人の気配はするが、部屋の襖をあけようとしない。

「どうぞおはいりください」

保子がいった時、襖があいた。

「あっ！」

ふたりの口から叫びが洩れた。はいってきたのは扶代だった。扶代は硬い表情のままふたりをみつめた。保子の体が小刻みにふるえた。扶代の目に凄艶（せいえん）な光があった。保子が後ずさるようにして、容一のうしろに隠れた。

「ど、どうして、ここにきた？」

容一はどもりながらいった。扶代が静かに答えた。

「わたしにここにくるようにと、あなたからお電話があったと聞いたものですから」

「だ、誰がそんなことをいった!?」

「香也(かや)ちゃんです。あなたがたのお子さんの」

「香也子が？」

「じゃ、お電話をくださったわけではないのですね」

「いうわけがないじゃないか。香也子の奴、どうしてここの宿を知ったのかな」

「社の運転手さんにでも聞いたのでしょう。あの娘(こ)のことですから」

　顔をあげようともしない保子のほうに目をやりながら、扶代の語調は妙に冷静だった。

「安心しました。あなたがたおふたりが、わたしを呼び出したのかと思いましたけれど、隠れ遊びなら……何も今日がはじめてじゃありませんものね。驚くこともありませんわ」

「扶代、まあな、しようがないんだよ。お前だって、子供でないからわかるだろう」

　容一の膝が貧乏ゆすりをした。それがひどく、容一を安っぽい人間に見せた。

「何がしかたがないんですの」

　その不気味なほどに静かなもののいい方に、保子はつと目をあげた。扶代のいい方が、不意に保子の反撥(はんぱつ)を誘ったのだ。

「だってなあ、おれとお前の仲には子供はないが、保子との間には、恵理子(えりこ)と香也子がいるんでね。つい、会う用事もできてねえ」

「なるほど、それで、たびたび温泉宿に泊まらなくちゃなりませんのね」

「そんないい方をするなよ。重々悪いことは知っているんだ。なあ、保子」

容一はうしろをかえりみた。保子はしゃんと首筋を立てて、もとの座に戻った。

「あら、わたしは何も悪いことをしてるとは思いませんわ」

突き刺すような語調だった。

「あら、悪いともお思いにならなかったんですか。じゃ、なぜ橋宮(はしみや)の陰に小さくなっていらっしゃいましたの」

保子はちょっと言葉に詰まったが、

「ま、ずいぶん偉そうないい方をなさいますのね。わたしが何を悪いことしたとおっしゃるの。あなたこそ、わたしの家庭を乱したほうじゃありませんか。橋宮は、わたしの夫だったんですよ」

「でも、いまはわたしの夫ですわ」

「それは、わたしから橋宮を奪ったからよ。だったら、今度はわたしがあなたから橋宮を奪い返したって、文句はないでしょ」

「いいえ。文句はありますわ。あなたはさっさと逃げていらしたわけでしょう。未練もなく別れてしまったわけでしょう。でも、わたしは、決して橋宮とは別れませんわ。そう簡単に、わたしは自分の家庭を放り出したりするほど、無責任ではありませんもの」

「まあ、なんて図々しい」

保子は唇を嚙んだ。

「わたしが橋宮を奪う前に、あなたは放り出したんですよ。それをお忘れにならないでほしいわ」

そういう扶代の頰がけいれんした。見かねて容一が、なだめるように手をふりながらいった。

「まあまあ、そうあんまりいがみ合うなよ」

「あら、じゃ仲よくしろとおっしゃるの」

保子が小意地の悪いいい方をした。

「べつだん、仲よくしろとはいわんがね。こんな宿で、があがあ、みっともないじゃないか、お前たち」

扶代はふっと、皮肉な微笑を浮かべた。保子がいった。

「みっともなくてもしかたがないわ。わたしという妻がありながら、扶代さんと仲よくなったあなたが悪いのよ。でも、いまわたしがあなたとよりを戻そうとするのは、扶代さんの場合とはちがうと思うの。もともと夫婦だったんだし、香也子や恵理子の親なんですからね」

「親なら、子供を置き去りになさらなければよかったのに」

扶代の言葉に保子の眉がきりりとあがった。が、とっさには返す言葉がなかった。扶代はつづけて、

「わたしなら、子供がいる以上、決して別れませんわ。あなたが別れたおかげで、わたし、香也子を育てるのに、どんなに苦労したことか」

「ま、いいじゃないか。もういうなったら。女中でもきたら……」

困りはてて、容一の貧乏ゆすりはさらにひどくなった。保子はその容一の肩に手をかけ、

「ね、あたな、いいじゃありませんか。いいところへきていただいたようなものよ。どうせ一度は話し合わなければならなかったんだから、このさい、話をはっきりつけましょうよ」

「話をつけるって、なんのことだい」

「なんのことだいじゃないわよ。さっきあなた、いってたじゃない。孫ができたら扶代さんは孫のところにいりびたりになるだろうから、そうしたらお前は、ずるずるとおれのところへはいりこめばいいって」

「まあ！　あなた、そんなことをおっしゃったの？」

扶代の声がふるえた。何かに耐えるような扶代の表情を、容一は正視することができなかった。

「いや、なに、扶代。その、なあ、冗談だよ、冗談……」

「あら、冗談だったの」

保子はその膝をゆすって、

「冗談であなた、あんなことをおっしゃったの」

と詰めよる。

「うん、まあな。ま、いいじゃないか」

「いいえ。よくはないわ。こうなったらあなた、ちゃんと決めてくださいよ。わたしをとるか、扶代さんをとるか。あなた、本当は扶代さんと別れたいって、いったじゃありませんか」

容一は不意にむすっと口をつぐんだ。両腕を組み、ひどく不機嫌な顔をして、戸外に目を向けた。そうするより、女たちの攻撃を外らす術がなくなった。保子はもともと妻にするより、遊び相手にするほうが、おもしろい女だったのだ。こうして二人を並べると、それがなおさらはっきりとわかる。扶代には、なんといっても安心して家庭を委せられるものがある。家庭をぐらぐらとゆり動かすような激しさがない。だが保子には、夫を自分の気にいったように躾けなければ承知しないところがあった。それは、あの潔癖という奇妙な性癖に苦しめられて試験ずみだ。一時は、子供たちのこともあって、もとのさやにおさめようと思ったこともないではない。が、人間としても、扶代のほうがやはり信頼がおけるのだ。家庭は波風のたたない静かなところでなければならない。

　その容一の思いを察したように、扶代がいった。

「あなた、お帰りになる時間ですわね。わたし、ハイヤーを待たせてありますけれど」

「おう、そうか。それは好都合だ。すぐに会社に行かなきゃならないんだ」

　容一は内心、やはり扶代は妻だと思った。

「あら、あなた、逃げる気？」

　容一の前に保子が立ちはだかった。

「逃げやしないよ。時間なんだ、時間」

「いいえ、逃げるつもりなのよ、あなた」

　と、電話が鳴った。一瞬三人は受話器をみつめた。救われたように受話器をとったのは容一だった。

「お電話がはいっております」

　交換の少し眠そうな声がして、すぐに香也子の声がとびこんできた。

「もしもし、お父さん？」

「なんだ、香也子か。でたらめをいって、どうして……」

　容一は不機嫌にいった。が、香也子はその言葉も耳にははいらぬように、

「わたし、死ぬ。もう死ぬ。死んじまう」

「何⁉　死ぬ？　どうしたんだ⁉　香也子」

「死んじまうから……」

香也子の声が、不意に途切れ、電話が切れた。

二

「香也子！　香也子！」

　切れた受話器を持ったまま、容一は思わず叫んだ。

「どうなすったの、あなた？」

　保子が容一の傍ににじり寄った。

「香也子が死ぬっていうんだ。もう死ぬ、死んじまうっていってるんだ」

「まあ！　どうしたのかしら？　死ぬなんて」

「わからん。それだけいって、電話を切っちまった」

　不安げに保子は容一を見つめた。

　その二人を、扶代は同じ姿勢で端然と坐ったまま、唇の端にかすかな微笑さえ浮かべて眺めていた。冷笑とも見えた。容一はむらむらとした。香也子の切迫した言葉がまだ耳の底にあるのに、扶代は笑っている。なんの驚きも示さない。いましがた、扶代のほうが妻にふさわしいと思っただけに、肩すかしをくったような気がした。

「死ぬなんて！　何があったのかしら。ね、すぐ電話をしましょう、電話を」

おろおろする保子に、

「うん」

と、うなずいて、容一はすぐに交換手に電話を申しこんだ。

「ね、扶代さん、今朝の香也子の様子は、どうだったんですの」

詰(なじ)るように聞く保子には答えず、扶代は容一に尋ねた。

「香也ちゃんが死ぬといったんですか」

「うん、ただならぬ様子だった。金井と何かあったんじゃないか」

「ただならぬ様子って……ただ、死ぬといっただけでしょう」

扶代は再び口もとに笑いを浮かべて、静かに茶をいれている。

「まあっ！　笑ってらっしゃるの？　あなた。香也子は死ぬっていってるのよ、死ぬって。よくも笑えるものね」

「………」

「血がつながっていないと、そんなに冷たいものなのかしら」

「でもね、香也子は自殺などする子じゃありませんもの。どんなことがあっても、死ぬなんていって、驚かしているだけですわ」

「馬鹿をいえっ！　扶代、いまの電話はそんなもんじゃなかったぞ！　いまにも死ぬような、悲痛な声だったぞ」

扶代は黙って二人の前に茶碗をおいた。

「まあ、どうしよう、死んだらどうしよう」

保子が立ちあがり、すぐに坐った。かと思うと、また立ちあがり窓べに行った。が、日に映える山の紅葉も、いまは全く目にはいらない。

電話が鳴った。保子が駆けよった。素早く容一が受話器を握った。

「どなたもお出になりませんが。もう一度かけてみましょうか」

交換手が明るくいった。

「何？　誰も出ない？　そんなはずはない。すみませんが、もう一度かけてください」

「誰もいないんですか、あなた」

青ざめた顔で保子がいい、扶代をふり返って、

「いまごろの時間、お手伝いさんもいないんですか」

時計は十一時に近かった。

「さあ、庭にでも出ているか、買い物にでも行かなければ、家にいるはずですけれど。でも、めったに午前中は買い物には行きませんわ」

「やっぱり何かあったのよ、あなた」

「…………」

容一と保子は受話器を見つめた。再び電話のベルが鳴った。

「旭川がお出になりましたので、おつなぎします」

「何!?　出た?」

容一は保子を見た。保子はうなずいた。その二人を、扶代は複雑な視線で眺めていた。

「もしもし、橋宮でございますが」

絹子（きぬこ）の落ちついた声がした。

「あ、絹ちゃんか。香、香也子はどうしたんだ?」

容一はせきこんだ。

「香也子さんですか。さあ、奥さまが出かけられたあと、すぐに外出なさいましたけど」

「なんだ、朝っぱらから出かけたのか」

「ええ。昨日セットに行くっていっておられましたから、美容室かもしれません」

のんびりした声が返ってきた。

「何!?　美容室に?」

「だと思います、たぶん。ウエディングドレスができあがっているって、おっしゃってましたから、そのあと、お姉さんのところかもしれませんが……」

恵理子は、自分のウエディングドレスとともに、香也子のウエディングドレスを、心をこめて作ってやっていたのだった。そのことは容一も知っている。

「じゃ、出かけるときは、何も変わった様子はなかったんだね」

「ハイ。どうかなさったんですか」

「いや……ところでいま、絹ちゃんどこに行ってたんだ。留守だったようだね」

「……すみません。おトイレです」

「なんだ、トイレか。わかった。とにかく昼までには、扶代は帰るからね」

受話器をおいた容一に、待ちかねたように保子が聞いた。

「香也子は家にいないんですか」

「うん、美容室にセットに行ったそうだ」

「あら、美容室に？」

ちらっと腕時計を見、

「何時ごろに行ったのかしら。セットなら一時間もあればできるわ。きっと美容室を出てから、何かあったのよ、ね、あなた。外からの電話だったんだわ」

「外からか。そうか。じゃ、居場所を確かめようもない」

扶代は二人の話を聞きながら、黙ってテーブルの角をふきんでしきりに拭いていた。

「どうしましょう？」

「そうだな、金井にでも電話してみようか。香也子が死にたいというのは、いまのところ金井にしか原因がないからな」

容一は、扶代の落ちついた態度に再び腹が立った。死ぬと叫んできているのに、この冷静さはいったいどういうことなのだろう。あるいは扶代は、章子が家出をした時の自分の態度に、いまだに腹を立てているのかもしれない。扶代のあの時の狼狽ぶりと、打ちひしがれた様子を、容一は思った。が、あの時容一には、そのうちに章子が帰ってきそうで、扶代ほどには切実に章子のことを案じなかった。今の扶代の態度は、その時のしっぺ返しのようにも思われた。

（今の電話が章子からのものなら、扶代はどんなに騒ぎたてることか）

そう思うと、俄に扶代との距離が感じられた。香也子にとって必要だったのは、やはり扶代ではなく、この実の母の保子だったのだと、改めて思わずにはいられなかった。

容一は背広の内ポケットから手帳を出した。いやな奴だとは思っていても、金井の電話番号は控えてある。香也子が金井を愛しているのであれば、やはり快く結婚を許してやるべきかもしれないと、やさしい思いになりながら、交換手に金井の電話番号を告げた。が、交換手は、その電話は話し中であると答えた。

「じゃ、扶代。いまの電話はどうだというのだ！」

「わたしほどには、わかっていらっしゃいませんでしょう」

「橋宮やわたしに、あの娘がわからないとおっしゃるの」

「…………」

「じゃ、いまの電話がなんだとおっしゃるの」

扶代は静かに容一に顔を向けていった。と、容一より先に保子がいった。

「わたし、あの娘をよくわかっていますもの」

「…………」

「冷たいもんだな」

「お前も、少しは心配そうな顔をしてみたらどうだ？」

鮮やかな紅葉の山を眺めながら、扶代は答えた。

「なんですの？」

「扶代！」

受話器を前に保子は眉をひそめた。扶代はそんな二人をよそに、窓外の景色に目をやっている。その扶代に、容一はたまりかねて怒鳴った。

「まあ!?　話し中？　やっぱり香也ちゃんに何かあったんじゃないかしら」

「心配するほどのことは、ないと思いますけど」

「じゃあなた、章子さんからの電話でも、そんなに落ちついていらっしゃる？」

　詰めよる保子に、扶代はちょっと目を注めたが、

「章子の電話でしたら、心配するでしょうね」

「なるほど、章子さんはあなたの血を分けた娘さんで、香也子は生さぬ仲ですものね」

　冷ややかな保子の語調に、扶代はかすかに首をふった。

「生んだとか、生まないとか、そんなことわたし申しあげているのではありません。香也子の性質と、章子の性質はちがいます。章子は、うそや冗談でそんな電話をかけてくる娘じゃありません」

「まあ！　なんということを！　じゃ、いまの電話は香也子のうそか冗談とでもいうんですか。ねえ、あなた。そんなうそか冗談の電話でした？」

「冗談じゃないよ。悲鳴のような声だったよ。半泣きだったよ、香也子は。冗談かどうかぐらい、声で判断できないおれじゃない」

「そうよね。第一、仮に冗談でも、心配してあげるのが親というものじゃないかしら」

「そうでしょうか。本当か冗談か、わかってやってこそ、親というものじゃないでしょうか。第一保子さん、あなたあの娘を置き去りにして、そんなことをおっしゃれる資格がおあり

かしら」

扶代は低く笑った。その笑いを消すように、また電話が鳴った。

「金井さんのところが通じたのよ」

保子が手を伸ばして受話器を取り、容一に手渡した。

「おお！　香也子か！　どうした？」

保子も扶代も容一の顔を見つめた。

「お父さん？　さっきの電話驚いたんだって？　絹ちゃんに聞いたわよ」

笑いを含んだ香也子の声が、鼓膜にがんがんとひびいた。どこかの喫茶店からでもかけているらしい感じだった。

「当たり前じゃないか！　死ぬっていわれて驚かない奴がいるか」

「へえー、それでもわたしのことを心配してくれるのね。誰がいちばん心配してくれたの」

「馬鹿も休み休みにしなさい。お父さんもお母さんも、寿命がちぢんだぞ。この親不孝者が！」

安心した反動で、容一は仮借なく怒鳴った。

「親不孝？　冗談じゃないわよ。三人がそこで顔を合わせて、さぞ気まずいだろうと思って、一発電話してやったのに、子供の心も知らないで、子の心親知らずね」

「何をいってる！　第一だな、扶代をここによこせと電話した覚えはないよ、おれは」

「でもさ、お父さん。お姉さんは結婚するし、ここらで三者会談をひらかなくちゃと、香也子、お膳だてしてあげたのよ。悪く思わないでよ」

いうだけいうと、香也子はガチャンと電話を切った。

「まあ、いたずらだったんですか！」

呆れたように、しかし決まり悪げに保子がいった時、扶代はもう部屋を出ていた。

三

恵理子の乗ったタクシーは、四条大橋を渡ると、国道から右にはいった。行く手の丘に東海大学の白い建物が、優美に建っている。今日西島が、この学校に聴講にきているのだ。結婚式の祝辞を述べてくれる教授に、昼休みの時間を利用して、二人で挨拶する約束だった。

見事に色づいた山々が間近に迫って、恵理子の心を弾ませる。式はあと五日後に迫っている。祖母のツネの配慮で、式の前の幾日かは体を休めることはできるが、それでも、今日のように、祝辞を述べてくれる来賓に、挨拶に行くという仕事も残っていた。

ツネはよく弟子たちの結婚式に招かれることがあって、時折こんなことをいった。

「今日の祝辞はみんなお義理でしたよ。親御さんのことしかほめるネタはなかったようでしたよ。ほめるほうだって、楽じゃありませんよね。見たこともない息子や娘の祝辞を頼まれるわけですから。頼む以上は、やはりふたりそろってご挨拶に伺うのが本当ですよ。そしたら、式場で新郎新婦をはじめて見たなんて、妙なことにはなりませんからね」

新郎の西島は以前から知っていても、花嫁になる恵理子は、当の教授を知らない。教授は札幌から時々講義にくるので、学校で挨拶することにしたのだ。

と、左手からはいってきたグレーの車があった。道幅が狭く、交差する時、お互いの車が徐行した。

（あら！　金井さんだわ）

そう思った時には、金井の車は通り過ぎていた。

恵理子は、香也子に紹介されて、金井とは五月に一度、七月に一度会っている。見た感じは清潔なスポーツマンらしいタイプの青年だったが、話をしているうちに、その表情の中に時に暗い影が走り、それが恵理子には気になった。思わぬもうひとつの面をもっているような、そんな感じが金井にはあった。

（このあたりに、なんの用事できたのかしら。香也ちゃんの家からの帰りかしら）

香也子の家から、このあたりは遠くはない。が、高砂台の香也子の家から帰るとすれば、国道を通るのがふつうだ。

車が東海大学への丘を登りはじめた。住宅街が眼下に見えた。大学の正門前で車を降り、恵理子は時刻を確かめた。約束の時刻までに、まだ十分ほどある。秋晴れの空の彼方に大雪山がくっきりとそびえ、近くの山や丘の紅葉が美しかった。眼下に流れる石狩川（いしかり）は、この丘の上から見ると、水の流れが停止しているかのように見える。

石狩川の向こうには、高層ビルを交えた旭川の街が広がっていた。川の街旭川には、幾筋かの川が街を流れている。それが秋の日の下にガラスのように光っている。

恵理子はふと、いま通ってきた丘の下の住宅街に目を転じた。赤や青のカラートタンの屋根の並ぶ中に、見馴れぬ屋根の形が幾つかあった。バッキンガム宮殿の模型のような屋根や、小さな城のような変わった建物が、住宅街の中に幾つかあるのだ。

(何かしら?)

見慣れぬ建物にそう思った時、うしろに足音がした。焦茶色のセーターを着た西島だった。その焦茶色が、白い大学の壁を背によく似合った。

「すてきな建物ね」

「瀟洒(しょうしゃ)でしょう。いかにも木工芸を習うにふさわしい建物でしょう」

そういって西島は恵理子と肩を並べた。

「この大学は、旭川のどこからでもよく見えるわね、丘の上にあるから。真っ白いし、ほんとにすてきだわ」

「ほめられるとうれしいな」

ドイツから帰ってきた西島は、以前より、もうひとまわり逞(たくま)しくなったような印象を与えた。

「あの、わたしね、あんな屋根の形の住宅って、はじめて見たわ。お城みたいなしゃれた家が、あのあたりには幾つもあるのね」

「え？　お城？　ああ、あれね。恵理子さんが知らないのは無理もないな。あれはね、モーテルですよ、モーテル」

「えっ？　モーテル!?」

「このあいだ札幌からきた友人がね、旭川の入り口にはずいぶんモーテルがあるんだね、パッショネートな街だね、といったのにはまいったな」

西島は笑った。ふと恵理子は、さきほど行きかわした金井の車を思い出した。

四

東海大学の正面玄関のドアを押して、西島と恵理子は中にはいった。広々としたロビーに、ジュラルミンで作った大きなアブストラクトな展示棚がおいてあって、一瞬前衛的な造形展示会の会場に一歩足を入れたような錯覚を感じた。そのロビーは吹きぬきになっていて、正面二階の廊下の手すりが、豪華客船のデッキを連想させた。それが恵理子には、非常にモダンでエキゾチックな感じに思われた。

「すてきな大学ね」

「よほど気にいったんですね。すてきすてきの連発ですよ」

「ええ、だってほんとうにすてきなんですもの。あら！」

手すりの下に掲げられた言葉に気づいて、恵理子は声をあげた。墨黒々と筆太に書かれたその言葉を、恵理子は読んだ。

「若き日に汝の思想を培え

若き日に汝の体軀を養え

若き日に汝の知能を磨け
若き日に汝の希望を星につなげ」

学長の松前重義の筆であった。

「いい言葉ね。心と体と頭と、それぞれバランスがとれて……知育偏重とはちがうわね」

「そうですよ。そしてね、ぼくは最後の言葉が特にいいと思うんだ。希望を星につなげって、いい言葉でしょう。星というのは、いってみれば、光とか清さとか、永遠とかを連想させますからね。ともに希望を語るというのは、本当の教育だと、何かで読んだことがありますよ」

「そうね、ともに希望を語るって、すごく大事なことね。わたし何かで、〝汝の若き日に汝の創り主を覚えよ〟という言葉を見たことがあるの。いまそれを思い出したわ。とにかくすばらしいと思うわ。これが建学の精神だとしたら」

恵理子は心からそう思った。これから一年間、西島が聴講生として学ぶ大学であるだけに、恵理子の関心も大きかった。

階段をあがると、小さな書棚を抱えた学生が二、三人、廊下を歩いてきた。学生たちは恵理子の美しさに驚いたように注視し、行き過ぎてからもふり返った。

「ねえ、西島さん。学生というと、本でも小脇に抱えているようなイメージがあるでしょう。書棚を抱えているなんて……なかなかいいわね。いかにも工芸大学って感じね」

恵理子は見るものすべてに新鮮な驚きを感じていた。その恵理子に、西島は微笑をもって答えた。

「書物だけが、学ぶということに直結するようですね、ふつうは」

「そうね、学ぶって、もっと広いのよね」

二人は二階の研究室の前にきた。西島のノックに、明るい返事がかえってきた。ドアをあけると、三十畳もあるかと思われる広い部屋の、机に床に本があふれていた。雑然とした、しかしあたたかみのある部屋だった。片隅のステンレス張りの流し台に、コーヒーカップが二つ置かれてあった。

「やあ、驚いたでしょう。あんまり汚くて」

五十嵐教授はニコッと笑って恵理子を見た。

「いいえ……」

恵理子も笑い、深々と頭をさげ、

「藤戸(ふじと)恵理子でございます。このたびはおせわになります」

「まあまあ、こちらにおかけなさい。あなたの坐るところぐらいはありますよ」

明るく日の射す窓べに、五十嵐教授は恵理子と西島を誘った。黒い革張りのソファーが、これまた本に囲まれてあった。

「このソファーは卒業生の試作品です。ちょっと、ふつうのソファーより浅いでしょう。ほんとうはこれくらいが使いやすいのですよ。ただし、この上で横になって昼寝をするには、むきませんけれどね」

話し方が快活だった。西島と恵理子は、すすめられるままに並んで腰をおろした。

「よろしくおねがいします」

西島も改めてお辞儀をした。

「君はデザイナーだけあって、女性を見る目も高いようだね」

教授は恵理子を見ながらいった。教授は恵理子を気にいったようであった。

「そもそもの馴れそめは、西島君から聞きましたがねえ。小川をはさんで、むこうとこっちの土手で見つめあっていたんですって?」

恵理子は頬を赤らめた。

「そこには橋がなかったんだそうですね。ぼくにはそれが気にいりましたよ」

「は?……」

恵理子も西島も、教授の血色のよい丸顔を見た。

「そこに橋があっちゃ、つまらなかったんだな。橋があっちゃ、すぐに渡って行けますからね。橋のないところに、心のかけ橋を渡した。これがいいんですよ。西島君は、橋を渡すべく、いつもギターを持って、その土手でギターを弾いていた。うん、なかなかいい」

「からかっちゃいけませんよ、先生」

「いや、心からそう思っているんだよ。ぼくと家内とは、つまんなかったな、その点。隣の小母さんに、無理矢理見合いさせられてね。君たちのようなロマンチックなものは何もありませんでしたよ」

いいながら教授は、コンセントにポットのソケットを挿しこんだ。

「恵理子さん、君は西島君のどこが気にいったんですか」

五十嵐教授は、背広を脱ぎながらいった。教授は美学担当である。

「わたくし……」

恵理子は窓外に目をやった。晴れた秋空の下に、香也子の住む高砂台が見えた。その端が神居古潭への峠になっていて、国道十二号線を流れるように往来する車が小さく見える。

「あのう……西島さんは、心のあるかただと思いました」

視線をもどした恵理子がいった。

「なるほど、心ある人か。心ない奴があふれているからね、現代は」

「………」

「それで、西島君、君はこの人のどこが気にいった」

「エレガンスなところです。身も心も」

「なるほど。いい得て妙というところだな。ところでね、西島君、君たちは、はっきりいって婚前交渉はどうなの」

西島はちょっと驚いたふうを見せたが、

「ぼくたちには、その必要がありませんので……」

と静かに答えた。

「ほほう、その必要がない？　ということは」

「話し合うだけで満たされていますから。それに、先生、ぼくは恵理子さんにもいったんですけれど、待つことが好きなんですよ。生活にコクが出てくるような気がして……」

「なるほど、君らしいことをいうね」

「それに、ここに聴講にきて、まだ日は浅いですけど、日頃思っていたことが、なんだか裏打ちされたような感じなんです。ここでは、自分で鋸(のこぎり)を持って、材を切りますよね。そのたびにぼくは、ああこの木は何年もの間風雪に耐えてきたんだなあって思っちゃうんです。一気に生長する木はありませんよね、先生。人間だって、耐えるとか待つとかを知らなければ……。ちょっと口はばったいみたいですけれど」

「なるほどねえ。近ごろの若い男女は待ったなしが多いようだからね。知り合ったその日に、モーテルにいくなんて、珍しくないっていうじゃないか」

「ま、そういう連中もいますけど、ぼくの好みには合いません」

コーヒーポットの湯の沸く音がした。恵理子が小声で、

「そろそろ失礼しましょうか」

と、ささやいた。西島が立ちあがった。

「じゃ、先生失礼します。十月十日、お忙しいところ申しわけありませんが、よろしくおねがいします」

「ああ、喜んで伺うよ。まあ、お茶ぐらい飲んで行きたまえ」

「ええ、でもお食事の時間ですから」

恵理子は用意してきた紙包みを差し出していった。

「あの、わたくしの手づくりですけれど……お召しいただけたらと思いまして」

「え？　ぼくにくれるの」

「はい」

「なんですか。あけてもいいですか」

「どうぞ」

がさがさと音をたてて五十嵐教授は包み紙を開けた。中からグレーのカシミヤのチョッキが出てきた。

「ほう、これはいい。これをあなたがつくったの」

と、早速ワイシャツの上に着て、

「ピッタリですよ。よく測りもしないで、できますね」

「実はぼくが、メジャーでちゃんと測っておいたんですよ。先生の背広でね」

西島の言葉に、五十嵐教授は、

「ほう、気がつかなかったね。いつのまに測ったのかね」

と、愉快そうにいって、壁の鏡に自分の姿を映した。

五

　教授の部屋を出る時、図書室に返す本を頼まれた西島は、『木材工業ハンドブック』『イラスト事典』『レタリング』の分厚い三冊を抱えて先に立った。

　広い図書室には、昼休みのせいか、誰もいなかった。係りの若い女性が、一人弁当を食べていた。二人は図書室の窓によった。この建物の一つの特徴はベランダである。二階三階ともに、外壁はベランダでめぐらされている。そこにも豪華船のような、しゃれたイメージがあって、すぐうしろに、ナラの木立が迫り、右手に紅葉の嵐山(あらしやま)が間近に見えた。そして、ここからも丘の裾を流れる石狩川が秋日に光って見えた。

「美しいところねえ、ここは。新芽のころもきれいでしょうね」

　ふっと、恵理子の胸に再び金井の顔が浮かんだ。教授の口からも、モーテルという言葉が出たためかもしれない。なぜかさきほどの金井が、モーテルから出てきたばかりのような気がしてならないのだ。どこかでボールを打ち興ずる声がする。いかにも清潔なこの学園でふさわしくない思いだとは思いながら、恵理子は金井のことを西島に話そうか話すまいかと迷った。

二人は校舎を出た。ジーパンをはいた女子学生が二人、大工鋸を手にして校舎の中にはいって行った。

「女子学生もいるのね」

「ああ、いますよ。みんな汗水垂らしてね、男子と同じように、鋸をひいたり、椅子の革張りをしていますよ」

二人は校舎を背に、なだらかな丘の道を肩を並べて降りて行った。道べの笹の葉が風に光る。

「美しい季節ねえ」

大きな胡桃(くるみ)の木の黄色い葉を恵理子は見あげた。

「そうですねえ。美しい季節に結婚できるんだなあ、ぼくたちは」

「幸せだわ」

トンボが二人の前をよぎって、白い薄(すすき)の穂にとまった。

「このまま……」

恵理子はいおうとしたことをのみこんだ。このまま無事に、はたして結婚式が終わるのかという思いが、ふっと胸をかすめたのだ。が、それは口には出せなかった。

「どうしたの、いいかけてやめたりして」

「ううん、なんでもないの」

「いわなかった言葉のほうが、心にかかるんですよ。何をいいかけたの」

丘の中腹にあるグラウンドで、野球をしている学生たちが見える。球を投げ、球を打っている学生たちの姿が、澄んだ空気の中に、何か夢でもみている感じだった。

「いいえ。ただね、このまま無事に結婚式が終わってほしいと思って」

「なんだ、妙なことを考えましたね。無事に終わるに決まってますよ。いまさら……邪魔のはいりようがないでしょう」

西島は鈴村貴子（すずむらたかこ）のことを思いながらいった。貴子は、つい十日ほど前、見合いをしたという報せをよこした。その手紙の中に、貴子はこう書いてきた。

〈一人の人にさえ執着しなければ、わたしのような者にも、ともに暮らしていく人が、与えられそうです。お見合いの人は、西島さんとは少しも似かよったところのない人でした。でも、何か安心できるような、茫洋（ぼうよう）とした大きさのある人でした。あら、こんなことをいっては、西島さんに大きさがないみたい。ゴメンナサイ〉

貴子はそんなことを書いてきた。文面には、新しく歩み出そうとする姿勢が感じられた。その手紙は、恵理子にもすでに見せてあった。

「そうね、何ごとも起こらないわね、何ごとも」

二人の話題は、五十嵐教授の人物にもどった。教授は、ドイツへの留学生に西島を推薦した委員の一人でもあった。西島が旭川にきてから、その作品に注目してくれていたのだ。

「そのうちにね、この大学も四年制になるらしいんですよ。でね、五十嵐教授はぼくに三年から編入して勉強してみないかっていうんですよ」

「あら、そうなさったら？」

「そうはいかないさ。結婚したら生活がかかりますからね」

「二年や三年ぐらい、わたしの洋裁でも食べていけるわよ。必ず男が経済的基盤をもたなければいけないかしら、ね、西島さん。そうは思っていらっしゃるわけじゃないでしょ」

「理論的にはね。夫婦のどちらが収入を得てもよいと思っていますけどね。しかし実際的には割りきれるかな」

「なんでもないことよ、お金のことなんて。それよりもね、西島さん。五十嵐教授は将来、西島さんに研究室にでも残ってほしいと思っていらっしゃるんじゃない？」

「ええまあ、妙にぼくを買いかぶっているところがあるんですよ。しかし……」

「いいじゃないの、あなたの才能は伸ばすべきよ」

さっき心にかかった雲は、自分の思い過ごしだったと恵理子は思った。

二人はいつのまにか住宅街にさしかかっていた。と、のどかに鳶（とび）の鳴く声がした。二人は道の真ん中に立ちどまって空を仰いだ。鳶が二つ三つ、大きく輪を描きながら、大学の上に舞っていた。

西島が空を仰ぎながらいった。

「鳶が出ると天気が変わるそうですね」

とその時、クラクションが鳴った。はっと二人は道の端に身をよせた。その前をスピードをゆるめずに、車は走り去った。

「あら」

恵理子が声をあげた。

「どうしたの？」

車はたちまち右手の道に曲がった。

「どうしたの？」

「いまの車ね、香也ちゃんのフィアンセの車よ」

「ああ、金井君とかいう英語塾の？」

「ええ。でもどうしたのかしら？」

恵理子が立ちどまったままいった。

「どうしたって……知った人とすれちがうことはあるでしょう」

「ええ、でもね西島さん。さっきもすれちがったのよ。塾は午前中はひらいていないらしいけれど。でも、こんなところをどうして行ったり来たりしているのかと思って」

「なるほど。二度も会ったわけか。じゃ、この近所に知り合いでもあるんじゃない？」

「そうかしら？」

まさか、日中からモーテルに行ったり来たりしてるわけでもあるまいと、恵理子も思いなおした。

鳶が再びのどかに鳴いた。

六

ぬけるように青い秋空の下である。庭の芝生で飼犬のトニーと香也子が遊んでいる。茶色のスラックスをはいた香也子が走る。トニーが追う。突如香也子が立ちどまる。トニーがその背に飛びかかる。香也子が声をあげて芝生にころがる。トニーがのしかかる。と、持っていたテニスボールを香也子が遠くに投げた。ボールがまっ赤なカンナの花のほうにころがっていく。一目散にトニーがボールを追いかける。その犬をまた香也子が追う。

「トニー！」

叫びながら香也子が走る。

三日後に、恵理子の結婚式が迫っている。そのことが香也子をいらいらさせていた。章子が整と結婚した時も、香也子はいらだった。香也子にとって、整は楽しい従兄（いとこ）だった。それが、突如として奪われたような感じだったのだ。同じ屋根の下にいた章子が、自分より先に嫁いだことも許せない気がした。

が、今度は、血を分けた姉の恵理子の結婚式である。妹の香也子は喜んでいいはずだった。が、香也子は喜べなかった。何かひどく惨めな気がした。西島がついに自分をかえりみなかったことも、その惨めさの原因だったかもしれない。

昨日香也子は、恵理子の手製のプレゼントであるウエディングドレスをもらってきた。香也子が、自分も結婚が近いとほのめかしたので、忙しい中を恵理子がつくってくれたものだった。

香也子は自分の部屋で、すぐにウエディングドレスを着てみた。想像した以上に、それは香也子によく似合った。が、香也子の気持ちは複雑だった。いつこのウエディングドレスを着るか、まだ具体的には何も決まっていなかったからである。

この一か月余り、いつ金井に電話をしても、金井は留守であったり、都合が悪いといったりして、香也子と会ってはくれなかった。といって、電話の語調は、以前と少しも変わらない。いっそのこと、冷たく突き放されれば、そのほうがまだしも、すっきりするような気がした。

「トニー!　こっちよ」

もう一つのボールを投げて香也子は走る。肌が汗ばみ息が切れる。激しく体を動かしていなければ、暴発しそうな思いなのだ。トニーが駆けもどって、再び香也子の背に足をかけた。

「香也子さーん、お電話ですよー」

テラスから呼ぶ絹子の声がした。

「どこからー?」

やや不機嫌に香也子は答えた。が、その時もう、絹子の姿はテラスになかった。

「トニー、電話だって。ちょっと行ってくるからね」

テラスのほうに駆け出す香也子の先になってトニーが走る。

部屋にはいって受話器をとった香也子は、肩で大きく息をしながら、

「もしもし、香也子ですけど」

「ああ、ぼくだよ」

思いがけなく金井の声が耳にひびいた。香也子の顔がパッと明るくなった。

「あーら金井さん? 珍しいわね、あなたから電話をくれるなんて」

「電話をして悪かったかい。香也子、いやに息を弾ませているじゃないか、どうしたんだい」

「いま、トニーと遊んでいたのよ。電話だっていうから、走ってきたしさ」

「とにかくさ、いま出れる?」

「あら、どこに?」

「まあさ、君を驚かしたいことがあるんだよ。いますぐ迎えに行くからさ。いいだろう」

「うれしいわ。待ってるわ」

機嫌よく答えて受話器を置くと、香也子は階段を駆け登った。うれしかった。恵理子の結婚にいらだっている時だけに、金井の電話は香也子の心をなごませた。香也子は乱暴に洋服ダンスをあけ、自分にいちばん似合うクリーム色のワンピースを取り出した。

（驚かすって何かしら）

もう午後である。ふつうなら、塾の始まるころだ。こんな時間に自分をどこにつれて行こうとするのだろう。意外と遠出をするのかもしれない。そう思って香也子はハンドバッグの中の金をあらためた。三万円あまりあった。

汗ばんだ肌を拭き、洗面所で顔を洗うと、念入りに化粧をした。会わなかった間に美しくなったと、金井に目を見張らせる必要があった。いま運動をしただけに、顔は生き生きとしている。化粧した自分の顔に、香也子は満足げに見いりながらワンピースを着た。

まもなく、近くでクラクションが鳴った。金井は橋宮家にはいるのを嫌っていた。たまに香也子を送ってきても、百メートルほど手前でおろしたし、迎えにきた時も、大きくクラクションを鳴らすだけで、家には決してはいってこなかった。

「絹ちゃん、行ってくるわね。もしかしたら今晩帰らないかもしれないわ」

うきうきと香也子はいい、玄関の戸をあけた。トニーの激しく吠えたてる声が、家裏でした。扶代は昼前から章子の家に出かけて留守だった。絹子がコスモスの乱れ咲く門のところまで送ってきた。その絹子に金井は一瞥もしない。助手台に乗りこんだ香也子もふり返りもしない。

　車はすぐに走り出した。

「ずいぶんしばらくね」

　うれしさをおさえて、香也子はすねたようにいった。

「男はいろいろと忙しいよ」

「ほんとに忙しそうね。いつ行っても仕事中か、そうでなければ留守だし。もうわたしのこと忘れたのかと思っていたわ」

「忘れるもんか。忘れろっていわれたって、忘れられないよ」

　金井はニヤニヤした。

「どこへつれて行ってくれるの。わたしを驚かすって、どんなこと？」

「…………」

　黙って金井はハンドルを握っていた。丘の道辺のナナカマドの実が、紅葉の中に真紅に燃えるようだ。

「ねえ、何を驚かしてくれるの？」

「まあ、楽しみにしてるんだね。とにかく、驚かすってのは、人生の楽しみのひとつだよ」

金井は左手で香也子の腰を抱くようにした。

「あら」

香也子はうれしそうに声をあげた。金井はすぐに、左手をハンドルにもどした。

車は高砂台をおりると、国道に出て二百メートルほど旭川に向かって走ったかと思うと、すぐに左手に折れた。と、行く手にモーテルが見えた。

「まあ、金井さんったら……昼間っから行くの」

行く手のモーテルに目を注めた香也子が、幾分はすっぱにいった。以前に金井ときたことのあるところだった。

「何を気をまわしているんだよ。実はね、この近所に家を建てたのさ」

「家？」

香也子が驚きの声をあげた。金井に家を建てる金はないはずだった。

「そうさ、家さ。ぼくらの新居さ」

「まあ新居？　じゃ、うちのパパに建ててもらったの？　わたしに内緒で」

「なるほど、そういう発想もあるな。しかしね、香也子。ぼくだって、いつまでも金に困ってるというわけじゃないからね」

金井がからかうように香也子を見た。

「あら、じゃ一人で建てたの？　でも、どうして設計のことなんか、わたしに相談してくれなかったの」

「さあね」

「どうせ二人で住む家なら、わたしの意見もいれてほしかったわ」

車は、家の疎（まば）らな住宅地を過ぎて、空地に出た。空地を少し行くと、ベージュ色の豪華な家があった。車がとまった。

「まあ！　凄い」

庭にはまだ木も植えてはいなかったが、百坪はあると思われる広い庭であった。二階の真正面には、グリーンのベランダが広くとられ、父が章子のために建てた家より、ずっと金のかかっている構えだった。

「章子さんに建てた家なんか、問題じゃないわ」

香也子はうきうきと家を見あげた。金井が玄関の戸をあけた。彫刻を施したドアである。まっすぐに広い廊下があり、両側と突き当たりに部屋があった。厚い絨毯（じゅうたん）を敷いた廊下を歩きながら、

「すごーい！」

香也子は歓声をあげた。右手には床の間とちがい棚のある和室があり、左手はマントルピースのついた応接間があった。突き当たりは広いリビングキッチンで、七分どおり家具がはいっていた。

「うれしいわあ！　この家を建てるために忙しかったのね、金井さん」

香也子が金井の胸によりかかった。金井は香也子の肩に軽く手をおいて、

「そうだよ、この家のことでさ。この家の監督でさ、毎日行ったり来たり、大変だったよ。ところで一昨日だったかな、君の姉さんに、この近所で二度も会ったっけ」

そういいながら金井は、リビングキッチンからあがる階段に足をかけた。

「あら、ここから階段にあがるなんてすてきじゃない。パパが建てたのは、玄関から階段にあがるようになっていたでしょう。こっちのほうがずっといいわ」

香也子は幸せそうに笑った。自分の知らぬうちに、金井がこんな豪壮な家を建ててくれていたかと思うと、いいようもなくうれしかった。

二階も、真ん中が廊下で、部屋が四つほどあった。廊下の突き当たりは、床から天井までの一枚ガラスだ。そのガラス戸の向こうに、秋の山がはめこまれた絵のように見えた。

「二階に四つも部屋があるのねえ。いったいなんの部屋にするのかしら」

はしゃぐ香也子の先に立って、金井は右手のドアをあけた。広いバスルームだった。ピ

ンクのタイルが床と壁面に張られ、浴槽は黒い漆のようなタイルだった。

「大きなバスルームね。でも、浴槽をどうして黒くしちゃったの。うすい水色くらいがいいのに」

香也子は口をとがらせた。

「それは、香也子のような子供のいいぐささ。黒い浴槽っていうのは、女の体を白く見せるんだよ。大人の感覚さ」

「まあそういえばそうねえ。金井さんって、すみにおけないのねえ」

単純な香也子はうなずいてバスルームを見まわした。

その向かいの部屋は書斎になっていた。造りつけの棚が壁をおおっている。

「金井さん、あなたここに入れるだけの本を持ってるの？」

「そう馬鹿にしたもんでもないさ」

書斎の隣は茶室風の和室だった。

「ここは？」

「ぼくの奥さんの部屋さ」

「あら、わたしの？」

香也子は露骨に不満そうな顔をした。

「わたし和室より洋間のほうがよかったのに。お茶なんてしないんだし、せっかく建てるんなら、相談してくれればよかったのに」

が、金井は笑って、

「しかしいい床の間だろ。この部屋は檜(ひのき)造りだぜ。これだけの部屋は君の家にもないだろう」

と自慢した。

「そりゃあ、こんな立派な部屋はないわ。でも、洋間のほうがよかったな、わたし」

香也子は、いいながらも、アルミサッシの窓をあけて、

「あら、ここから高砂台がすぐ目の前に見えるのね」

と、うれしそうに叫んだ。

「そうだよ。高砂台をおりてくる坂が見えるだろう。あの坂からこの家がよく見えるよ」

「あらほんと？　知らなかった。あともう一つの部屋を見せて」

「よし、あともう一つの部屋はベッドルームだよ」

金井はささやくようにいった。

「まあ！　ベッドルーム？」

香也子も声をひそめた。

「うん、ダブルベッドさ」

「まあダブルベッド？　うれしいわ」

金井より先に香也子はベッドルームのドアを押した。窓に厚いカーテンのかかっているベッドルームはうす暗かった。香也子は壁の電灯のスイッチを押した。ベッドが窓際にあった。そのベッドに天蓋（てんがい）がかかり、天蓋から黒いレースのカーテンがおりていた。

「凄い、すばらしいわねえ。女王さまのベッドみたい」

「そうだよ、女王さまのベッドだよ。まさしく」

いいながら、金井は、ベッドの傍（そば）のボタンを押した。レースのカーテンがするするとあいた。

「うれしーい」

子供のように香也子が手を叩いた時だった。

「そんなにうれしいか」

不意に金井が笑うようにいった。その語調に、一瞬香也子はきょとんとしたが、

「そりゃうれしいに決まってるわよ。わたしこのベッドに寝てみたいわ。いいわね」

ベッドカバーを取ろうと手を伸ばした時、金井が、香也子の手を乱暴にぐいと引いた。香也子は、金井が自分を抱きよせようとしたのかと、手を引かれるままに、金井の胸によりかかった。が、金井はさっさと体を離して、

「香也子、いっておくけどね。君はこのベッドに寝る資格はないんだよ」

冷酷な声だった。

「資格がない？　……それどういうこと？」

まだ香也子には、金井が何をいっているのか、わからなかった。

「なんだ、まだわからないのか。鈍い奴だな。この家はね、ある女がぼくのために建ててくれた家さ」

「なんですって？」

香也子は耳を疑った。

「花沢夏実(はなざわなつみ)ってね、もしかしたら、君も名前だけは知ってるだろう。旭川の個人金融で、いちばん実績をあげている女性だよ」

「花沢……夏実！」

その名は香也子も聞いていた。男よりも冷酷に金を取り立てるという風評だったが、ベストドレッサーで、ときどき郷土誌にその艶麗(えんれい)な姿が載っていることがあった。年齢は、三十より上に香也子には思われた。

「驚いたろう。はっきりいっておくがねえ、ぼくは香也子と結婚する気は、とうの昔からないんだ。香也子のおやじさんたちは、ぼくをてんから軽蔑してかかってるからねえ。こっちのほうでごめんだよ」

香也子の口がひくひくとふるえた。

「じゃ……ここは……」

「むろん、ぼくと夏実の新居ではあっても、君との新居ではないよ。君がただ、そう勝手に思いこんで、喜んでいただけさ。ぼくらはね、来月の文化の日には結婚するよ」

ポケットからタバコを出して、金井は口にくわえた。自分の足もとにくずれた香也子を見おろしながら、金井はライターをタバコに近づけた。

「以前から、ぼくが金融業をやりたがっていたことは知ってるだろう。それで夏実に紹介されてさ、まあ意気投合したってわけだな。前に一度結婚した女だがね。なかなかおもしろい女だよ。君にこの部屋で引導を渡せといったのも彼女さ」

「じゃ、金井さんはわたしを騙(だま)したのね！」

きっと顔をあげて、香也子が叫んだ。

「騙した？　冗談じゃないよ。おれは、結婚したいって、一度はおやじさんとこへ行ったんだぜ。だが相手にされなかったじゃないか。まあ実をいうとね、ぼくははじめっから香也子など問題じゃなかったんだ。橋宮家から、どのくらい金を引き出せるかが問題だったんだ。しかしよかったよ。夏実っていう金蔓(かねづる)がころがりこんだからね。金貸しってのはいい商売さ」

香也子はふらふらと立ちあがった。蒼白な顔に目だけが異様に光っていた。と、傍の花瓶をつかむやいなや、金井をめがけて投げつけた。

七

恵理子の結婚披露宴は、午後三時から、北斗（ほくと）ホテルの広間で挙げられることになっていた。香也子は振袖を着て、車のシートに浅く腰をかけていた。父の容一は会社から真っすぐに式場に行くということで、モーニングコートは秘書の笹（ささ）ハマ子が取りにきた。扶代が複雑な表情で、そのコートを手渡していたのを、香也子は見た。

が、香也子にとって、そんなことはどうでもよかった。高砂台の急坂を、いま、車は降りて行く。坂の下のむこうに、金井の家が一軒、住宅地から少し離れて建っているのが見えた。香也子は虚脱したような表情で、その家に目をやった。

香也子が金井に誘われて、のこのことあの家までついて行ってから三日になる。金井に捨てられたと知った時、香也子は前後の見さかいもなく、金井をめがけて花瓶を投げつけた。が、金井は素早く体をかわし、花瓶は洋ダンスの取っ手に当って砕け散った。香也子はそのまま部屋を飛び出すと、階段を駆け降りて外に出た。

どこをどう歩いて家に帰ったか、香也子は覚えていない。家に帰った時、扶代が庭先に立っていた。扶代の顔を見るやいなや、香也子は叫んだ。

「わたし死ぬ！　もう死んじゃうから！」

香也子はすすりあげた。が、扶代は、持っていた花鋏(ばさみ)で、静かにダリヤを切っただけだった。

家に飛びこんだ香也子は、台所にいる絹子にいった。

「もう駄目だわ。一巻の終わりだわ。わたし死んじゃう」

香也子は事実死にたいと思った。だが、絹子は、

「香也子さん、今晩は鉄板焼きですよ。香也子さんの好きな」

絹子もまた、香也子が死ぬといった言葉には驚かなかった。香也子は二階に駆けあがって、父の容一に電話をかけた。

「なんだ、香也子か」

迷惑そうな父の声が返ってきた。香也子はいった。

「お父さん、どうしたらいいの。もう死んじゃいたい！　香也子死にたい」

電話機の上に、大粒の涙がぽたぽたと落ちた。容一の笑い声が、大きく受話器にひびいた。

「わかった、わかった。お父さんはね、忙しいんだ。ふざけちゃいけない」

ガチャンと電話が切れた。

「ひどいわ！　人が死にたいっていうのに、誰も本気にしてくれない」

香也子は母の保子に電話をかけた。すぐ保子が出た。

「お母さん……」

そういったまま、あとは言葉にならなかった。

「あら、香也ちゃん、どうしたの？」

やさしい保子の声に、すがる思いで香也子はいった。

「わたしねえ、もう生きていたくない……」

声がつまった。途端に保子が腹だたしそうにいった。

「またふざけて。もう騙されませんよ、香也ちゃん。お母さんはね、忙しいのよ。あんたの死んじまうは、一回だけでいいわ。それよりね、恵理子のことで忙しいんですからね。いつまでも子供みたいな真似をしないでちょうだい」

香也子は受話器を投げつけるように置いた。香也子の言葉にまともに応じてくれる者は誰もいなかった。つい七日ほど前、香也子の死ぬという言葉に誰もが驚かされたばかりなのだ。死ぬという言葉も、涙も、芝居にしか見えなかった。

その夜香也子は、食事もせずに部屋に閉じこもった。

翌朝、容一が香也子の部屋にはいってきた。香也子は容一に背を向けたまま、眠ったふりをしていた。いちばん慰めてほしい時に、笑った父を香也子は憎んでいた。

「いいかげんに起きろよ。もう九時だぞ、香也子」

香也子は返事をしなかった。

「香也子、お前、昨日受話器をきちんともどしておかなかったろう。おかげで藤戸の家じゃ、いつまでも話し中になっていて、たいへん迷惑したそうだぞ」

文句だけいって、容一は出て行った。

容一は、いつまでも人騒がせな香也子に、きびしくしなければならないと思ったのだ。が、その日も香也子は自分の部屋から外に出ようとしなかった。金井の冷酷な別離の宣言が、香也子を打ちのめしていた。そのうえ、誰一人自分に親身に相談に乗ってくれる者のないことに、香也子はかつてない淋しさと憤りを感じていた。

だが家人の誰もが、香也子の〝籠城〟には馴れていた。少し気にいらぬことがあると、二日も三日も階下に降りて行かなかった。この度も同じことのくり返しだと、家人たちは思っていた。香也子の淋しさを真正面から受け止める者は誰もいなかった。

いま、車は国道にはいった。不意に香也子は、声低く笑った。砕け散ったあのガラスの破片が、毛足の長い絨毯(じゅうたん)の中に刺さりこんだ様子を思ったのだ。香也子はそのガラスの一片が、金井の女の花沢夏実の踵に刺さることをねがった。ただひとかけらでいい。そのひとかけらのガラスが、女の足に突き刺さることを、香也子は切実にねがった。

車は石狩川にかかった長い橋を渡り、街にはいった。このまま行くと、あと十分も経たぬうちに、ホテルに着くだろう。盛装した西島と恵理子が、幸せそうに並んで、客を待っている姿が目に浮かぶ。香也子は俄に馬鹿馬鹿しくなった。自分がこんなに虚しいのに、どうして人の幸せを喜ばなければならないのか。それが香也子にはわからなかった。いや、香也子が人の結婚式をつまらないと思ったのは、今日だけではなかった。いままでも、幾度か友人の結婚披露宴には出た。が、一度として、友人が幸せになってほしいと思ったことはない。新婚旅行中、留守宅に泥棒がはいればおもしろいとか、あの新郎を誘惑してみたいとか、不幸を期待することが多かった。

車がホテルに近づいた時、香也子はハイヤーの運転手にいった。

「いいわ、ここで降りるわ」

香也子は北斗ホテルの二百メートルほど手前で降りた。降り立った背に、薄日があたたかかった。人通りの少ない舗道を、振袖を着た香也子はホテルへは向かわず、そのまま真っすぐに歩きだした。履き馴れない草履が歩きにくかった。

狭い庭に黄色い小菊の咲いている家の前で、香也子は立ちどまった。どこに行くというあてもなかった。

と、水色の電話ボックスがすぐ近くにあった。香也子はふっと、容一に叱られたことを思い出した。香也子がきちんと、受話器をもどしておかなかったため、藤戸の家では、他に電話をかけようとしても、かけることができなかったという。

（片っぱしから、どこへでも電話をかけてやろうかしら）

香也子の振り袖姿をふり返りながら、ノーネクタイの中年の男が通り過ぎた。

（どこに電話をしても、受話器をもとにもどさないでやるわ）

どの家も電話が切れずに困る様子を思って、香也子は少し元気が出た。人を困らせるという形でしか、人と関わることを知らぬ香也子だった。

だが、いまの香也子には、電話をかける相手もなかった。その時、電話ボックスの横を、黒衣を着た修道女が一人、足ばやに歩いて行くのが見えた。

（そうだわ。教会にかけてみよう）

香也子は電話ボックスの中にはいった。中にはいると、俄(にわか)に自分がただ一人の世界にあるような気がした。香也子は職業別の電話番号簿をひらいて、教会の電話番号を探した。

教会というところに香也子は行ったことがない。が、なんとなく、教会の牧師なら、見も知らぬ人間の話も聞いてくれるような気がした。自分の言葉をまともに信じてくれるような気がした。

番号簿を見ると、旭川には意外にキリスト教会が多かった。二十幾つもの教会名がずらりと並んでいる。どの教会にかけていいのかわからぬ香也子は、最初の行に出ている番号をまわした。が、コールサインが鳴るだけで、いつまでたっても、誰も出ない。

少し気ぬけした思いで、香也子は次の教会に電話をした。話し中だった。香也子は小さく舌打ちした。

三度めにまわした教会の電話は、すぐに出た。明るく歯切れのいい男の声で、

「四条教会です」

という返事が耳にひびいた。

「あのう……牧師さんいらっしゃいますか」

香也子がおずおずというと、

「わたしが牧師ですが」

再び明るい声が返ってきた。四十は過ぎた声のようだった。

「あのう……わたし、死にたいんですけど」

香也子は三日前に、父や母にいった言葉をくり返した。が、その実、いまの香也子はもう死ぬ気はなかった。一夜明けると、死ぬ気持ちだけは失われていた。なぜ金井のような男に執着したのか、自分でも不思議だった。もともと香也子は、心から金井に惹かれていたわけではない。体のつながりで、香也子に愛の錯覚を抱かせていただけだった。

「えっ!?　死にたい？」

驚く声がして、

「いったいどうなさいました？」

真剣な声が耳に返った。

「あのう、男の人に騙されたんです。わたしと結婚するはずだったのに、その人は、ほかの女の人と結婚することになったんです」

「なるほど、それで死にたいというわけですね」

「おかしいでしょうか」

「いいえ。決しておかしくはありませんよ。そんな時には、誰しも同じ気持ちになるでしょう。しかしですね、その苦しみを乗り越えて、みんな生きているんですよ。決して死んではいけませんよ。そうですね、いますぐ訪ねていらっしゃい。ゆっくりお話をしましょう」

熱意のこもった言葉に、香也子は満足した。が、わざと逆らうようにいった。

「いやです。ほかの人は死ななかったかもしれないけれど、わたしは死にます。旭橋の下で、いますぐ薬を飲んで死にます」

「ちょっとお待ちなさい。死ぬことはいつでもできます。それより……」

香也子はじっと耳を澄ましていたが、すぐに受話器を手から放した。受話器はだらりとぶらさがった。

「もしもし」と、香也子を呼ぶ声が受話器から洩れた。香也子はその受話器をみつめた。とにかく、自分の言葉をまともに受け止めてくれる人間がいた。真剣に心配してくれる人間がいた。だが、その真剣な声を聞いているうちに、香也子は相手がこっけいにおもわれてきたのだ。

香也子はそのままボックスを出た。風が紙屑をころがして、車道を吹き過ぎて行った。プラタナスの並木の大きな葉が、時の間、風に揺れた。

公園のほうで、時々歓声があがった。その声に、香也子の足が公園に向いた。

（もう、披露宴がはじまってるわ）

花嫁の恵理子も、その場に出席している父と母も、そして祖母のツネも、いまの香也子にはひどく遠い人間に思われた。

少し行くと、再び電話ボックスがあった。

（次はどこにかけようかしら）

香也子はふっと微笑した。香也子の白い指が救急通話用のダイヤルをまわした。

「もしもし、一一九番ですか。こちら北斗ホテルですが、いま、二階から火が出ました」

香也子はいかにもあわてたようにいった。

「え？　北斗ホテルですね」

てきぱきと応対する言葉には、驚きのひびきはなかった。

「そうです。北斗ホテルです。急いでください」

香也子は、その受話器もぶら下げたままにして、その場を急いで離れた。

ホテルでは、恵理子と西島の披露宴が華やかにひらかれているはずだ。まもなく消防車が駆けつけることだろう。披露宴に出ている客たちは、あわてふためいて、その席を飛び出すにちがいない。混乱する会場の様子が想像されて、香也子は愉快だった。

香也子は常磐(ときわ)公園にはいって行った。と、けたたましい消防車のサイレンが街空に鳴りひびいた。幾台ものサイレンのうなりだ。公園の中にいた幾人かが、公園の外に飛び出して行く。

自分の電話を真(ま)に受けて、何台かの消防車がいま出勤している。そして、四方から人々は駆け出して行く。サイレンの音が、ますます高まる。香也子には、そのうなりが、自分とともに歓声をあげているようで、笑わずにはいられなかった。

が、すぐにまた心がむなしくなった。誰もが自分自身と関わりのないような気がしたのだ。太陽が時折雲間から出て、そしてまた雲にかくれた。香也子は公園を見まわした。周囲三百メートルに五百メートルはあるかと思われる広い公園だ。左手のグラウンドでは、体育の日にちなんでの野球大会でもあるのか、人垣がつくられ、盛んに声援する声があがる。

右手の大きな千鳥ヶ池には、ボートが何十隻となく浮かんでいる。そのほとんどは若いカップルだった。誰もが、屈託なく楽しそうに見えた。

再び陽がさした。池の面がきらきらと光る。香也子はあてどもなく、木立の下を歩いて行った。ニレ、ドロ、ポプラなどの大樹にまじって、カエデやサクラの紅葉が鮮やかだった。テニスのラケットを抱えたショートスカートの若い女性たちが、四、五人、何かしきりに笑いながら、香也子を追いぬいて、向こうのポプラ並木のほうに走って行く。振袖姿の香也子が場ちがいに見えた。香也子は何か惨めな気がした。

まだ、ほうぼうから集まってくるらしい消防車のうなりが聞こえる。香也子は池のほとりの柳の下に立って、向こう岸に鈍く光る天文台のドームを見た。そのドームの鈍い輝きを見ているうちに、香也子は再びどこかに電話をかけたくなった。

香也子は公園の中の電話ボックスのほうに歩いて行った。花壇の雞頭(けいとう)が燃えるように赤い。電話ボックスには、若い男がはいっていた。男はタバコをふかしながら受話器を耳にあてている。

ほどなく男が出てきた。タバコの煙の満ちたボックスのドアを、三十秒ほどあけておいてから、香也子は中にはいった。急にサイレンの音が遠くなった。ボックスの中は、まだタバコの匂いが漂っていた。香也子は一一〇番を呼んだ。

「あのう、旭橋の下に、女の人が倒れているんですけど」

「旭橋の下？　ああ、いま教会の牧師さんからきた電話と同じ件かな。あなたのお名前は？」

一瞬、香也子は返答につまった。が、

「只野花子(ただのはなこ)です」

とっさにでたらめをいって、電話を切った。旭橋の下で、女が倒れているかもしれないと、あの牧師は知らせたらしい。香也子は、公衆電話が、去年から三分で切れるように変わったことを忘れていた。

ボックスを出ようとして、香也子はふっと金井に電話をしてみる気になった。今日は金井の塾は休みのはずだ。かけ馴れた番号を香也子はまわした。コールサインが五、六度鳴って、留守かと思った時、金井の声がした。

「はい、金井英語塾です」

声だけ聞くと、香也子はそっと受話器を手から放した。だらりとさがった受話器から「もしもし、もしもし」と金井の呼ぶ声がした。

香也子はボックスを出た。と、救急車の音が近づいてくる。倒れてもいない香也子を救おうとして、旭橋のほうに駆けつけてくるらしい音だ。

不意に香也子はげらげらと笑った。笑いながら、なぜか涙がこぼれた。自分が本当に、旭橋の下に倒れているような気がしたからであった。

（終わり）

〈底本について〉

この本に収録されている作品は、次の出版物を底本にして編集しています。

『果て遠き丘』集英社文庫　１９７８年４月30日

（１９９６年10月14日第46刷）

〈差別的表現について〉

作品本文中に、差別的表現とも受け取れる語句や言い回しが使用されている場合がありますが、著者が故人であることを考慮して、底本に沿った表現にしております。ご了承ください。

三浦綾子とその作品について

三浦綾子　略歴

1922　大正11年　4月25日
北海道旭川市に父堀田鉄治、母キサの次女、十人兄弟の第五子として生まれる。

1935　昭和10年　13歳
旭川市立大成尋常高等小学校卒業。

1939　昭和14年　17歳
旭川市立高等女学校卒業。
歌志内公立神威尋常高等小学校教諭。

1941　昭和16年　19歳
神威尋常高等小学校文珠分教場へ転任。
旭川市立啓明国民学校へ転勤。

1946　昭和21年　24歳
啓明小学校を退職する。
肺結核を発病、入院。以後入退院を繰り返す。

1948　昭和23年　26歳
幼馴染の結核療養中の前川正が訪れ交際がはじまる。

1952　昭和27年　30歳
脊椎カリエスの診断が下る。
小野村林蔵牧師より病床で洗礼を受ける。

1954　昭和29年　32歳
前川正死去。

1955　昭和30年　33歳
三浦光世と出会う。

1959　昭和34年　5月24日　37歳
三浦光世と日本基督教団旭川六条教会で中嶋正昭牧師司式により結婚式を挙げる。

1961　昭和36年　39歳
新居を建て、雑貨店を開く。

1962　昭和37年　40歳
『主婦の友』新年号に入選作『太陽は再び没せず』が掲載される。

1963　昭和38年　41歳
朝日新聞一千万円懸賞小説の募集を知り、一年かけて約千枚の原稿を書き上げる。

1964　昭和39年　42歳
朝日新聞一千万円懸賞小説に『氷点』入選。
朝日新聞朝刊に12月から『氷点』連載開始（翌年11月まで）。

1966　昭和41年　44歳
『氷点』の出版に伴いドラマ化、映画化され「氷点ブーム」がひろがる。
『塩狩峠』の連載中から口述筆記となる。

1981　昭和56年　59歳
初の戯曲「珍版・舌切り雀」を書き下ろす。
旭川市公会堂にて、旭川市民クリスマスで上演。

1989　平成元年　67歳
結婚30年記念CDアルバム『結婚30年のある日に』完成。

1994　平成6年　72歳
『銃口』刊行。最後の長編小説となる。

1998　平成10年　76歳
三浦綾子記念文学館開館。

1999　平成11年　77歳
10月12日午後5時39分、旭川リハビリテーション病院で死去。

没後

2008　平成20年
開館10周年を迎え、新収蔵庫建設など、様々な記念事業をおこなう。

2012　平成24年
生誕90年を迎え、電子全集配信など、様々な記念事業をおこなう。

2014　平成26年
『氷点』デビューから50年。「三浦綾子文学賞」など、様々な記念事業をおこなう。
10月30日午後8時42分、三浦光世、旭川リハビリテーション病院で死去。90歳。

2016　平成28年
『塩狩峠』連載から50年を迎え、「三浦文学の道」など、様々な記念事業をおこなう。

2018　平成30年
開館20周年を迎え、分館建設、常設展改装など、様々な記念事業をおこなう。

2019　令和元年
没後20年を迎え、オープンデッキ建設、氷点ラウンジ開設などの事業をおこなう。

2022　令和4年
三浦綾子生誕100年を迎え、三浦光世日記研究とノベライズ、作品テキストや年譜のデータベース化、出版レーベルの創刊、作品のオーディオ化、合唱曲の制作、学校や施設等への図書贈呈など、様々な記念事業をおこなう。

三浦綾子　おもな作品　（西暦は刊行年※一部を除く）

1962　『太陽は再び没せず』（林田律子名義）
1965　『氷点』
1966　『ひつじが丘』
1967　『愛すること信ずること』
1968　『積木の箱』『塩狩峠』
1969　『道ありき』『病めるときも』
1970　『裁きの家』『この土の器をも』
1971　『続氷点』『光あるうちに』
1972　『生きること思うこと』『自我の構図』『帰りこぬ風』『あさっての風』
1973　『残像』『愛に遠くあれど』『生命に刻まれし愛のかたみ』『共に歩めば』
　　　『死の彼方までも』
1974　『石ころのうた』『太陽はいつも雲の上に』『旧約聖書入門』
1975　『細川ガラシャ夫人』

1976 『天北原野』『石の森』
1977 『広き迷路』『泥流地帯』『果て遠き丘』『新約聖書入門』
1978 『毒麦の季』『天の梯子』
1979 『続泥流地帯』『孤独のとなり』『岩に立つ』
1980 『千利休とその妻たち』
1981 『海嶺』『イエス・キリストの生涯』『わたしたちのイエスさま』
1982 『わが青春に出会った本』『青い棘』
1983 『水なき雲』『三浦綾子作品集』『泉への招待』『愛の鬼才』『藍色の便箋』
1984 『北国日記』
1985 『白き冬日』『ナナカマドの街から』
1986 『聖書に見る人間の罪』『嵐吹く時も』『草のうた』『雪のアルバム』
1987 『ちいろば先生物語』『夕あり朝あり』
1988 『忘れえぬ言葉』『小さな郵便車』『銀色のあしあと』
1989 『それでも明日は来る』『あのポプラの上が空』『生かされてある日々』
『あなたへの囁き』『われ弱ければ』
1990 『風はいずこより』

1991　『三浦綾子文学アルバム』『三浦綾子全集』『祈りの風景』『心のある家』
1992　『母』
1993　『夢幾夜』『明日のあなたへ』
1994　『キリスト教・祈りのかたち』『銃口』『この病をも賜ものとして』
　　　『小さな一歩から』『幼な児のごとく――三浦綾子文学アルバム』
1995　『希望・明日へ』『新しき鍵』『難病日記』
1996　『命ある限り』
1997　『愛すること生きること』『さまざまな愛のかたち』
1998　『言葉の花束』『綾子・大雪に抱かれて』『雨はあした晴れるだろう』
　　　『ひかりと愛といのち』
1999　『三浦綾子対話集』『明日をうたう命ある限り』『永遠に　三浦綾子写真集』
2000　『遺された言葉』『いとしい時間』『夕映えの旅人』『三浦綾子小説選集』
2001　『人間の原点』『永遠のことば』
2002　『忘れてならぬもの』『まっかなまっかな木』『私にとって書くということ』
2003　『愛と信仰に生きる』『愛つむいで』
2004　『「氷点」を旅する』

2007　『生きること ゆるすこと 三浦綾子 新文学アルバム』
2008　『したきりすずめのクリスマス』
2009　『綾子・光世　響き合う言葉』
2012　『丘の上の邂逅』『三浦綾子電子全集』
2014　『ごめんなさいといえる』
2016　『国を愛する心』『三浦綾子 366のことば』
2018　『一日の苦労は、その日だけで十分です』
『信じ合う　支え合う　三浦綾子・光世エッセイ集』
2020　『カッコウの鳴く丘』（小冊子）
2021　『雨はあした晴れるだろう』（増補復刊）『三浦綾子祈りのことば』
2022　『平凡な日常を切り捨てずに深く大切に生きること』
『愛は忍ぶ　三浦綾子物語――挫折が拓いた人生』
『三浦綾子生誕100年記念文学アルバム　――ひかりと愛といのちの作家』

三浦綾子の生涯

難波真実（三浦綾子記念文学館 事務局長）

三浦綾子は１９２２年4月25日に旭川（あさひかわ）で誕生しました。地元の新聞社に勤める父・堀田鉄治と母・キサの五番めの子どもでした。大家族の中で育ち、特に祖母の影響が強かったのでしょうか、お話の世界が好きで、よく本を読んでいたようです。文章を書くことも好きだったようで、小さい頃からその片鱗がうかがえます。13歳の頃に幼い妹を亡くし、死と生を考えるようになりました。この妹の名前が陽子で、『氷点』のヒロインの名前となりました。

綾子は女学校卒業後、16歳11ヶ月で歌志内（うたしない）市（旭川から約60キロ南）の小学校に代用教員として赴任します。当時は軍国教育の真っ只中。綾子も一途に励んでおりました。

そんな中で１９４５年8月、日本は敗戦します。それに伴い、教育現場も方向転換しました。教科書への墨塗りもその一例です。そのことが発端となってショックを受け、生徒たちへの責任を重く感じた綾子は、翌年3月に教壇を去りました。私の教えていたことは何だったのか。正しいと思い込んで一所懸命に教えていたことが、まるで反対だったと、失意の底に沈みました。

しかし一方で、彼女の教師経験は作品を生み出す大きな力となりました。『積木の箱』『泥流地帯』『天北原野』など、多くの作品で教師と生徒の関わりの様子が丁寧に描かれていて、綾子が生徒たちに向けていた温かい眼差しがそこに映しだされています。また、綾子最後の小説『銃口』で、北海道綴方（つづりかた）教育連盟事件という出来事を描いていますが、教育現場と国家体制ということを鋭く問いかけました。

さて、教師を辞めた綾子は結婚しようとするのですが、結納を交わした直後に病気にかかります。肺結核でした。人生に意味を見いだせない綾子は婚約を解消し、オホーツクの海で入水自殺を図ります。間一髪で助かったものの自暴自棄は変わらず、生きる希望を失ったままでした。そしてさらに、脊椎カリエスという病気を併発し、絶対安静という療養生活に入ります。ギプスベッドに横たわって身動きできない、そういう状況が長く続きました。

しかしある意味、この闘病生活が綾子の人生を大きく方向づけました。療養が始まって2年半が経った頃、幼なじみの前川正という人に再会し、彼の献身的な関わりによって綾子は人生を捉え直すことになります。人はいかに生きるべきか、愛とはなにかということを綾子はつかんでいきました。前川正を通して、短歌を詠むようになり、キリスト教の信仰を持ちました。作家として、人としての土台がこの時に形作られたのです。

前川正は綾子の心の支えでしたが、彼もまた病気であり、結局、綾子を残してこの世を去ります。綾子は大きなダメージを受けました。それから1年ぐらい経った頃、綾子が参加していた同人誌の主宰者によるきっかけで、ある男性が三浦綾子を見舞います。この人が、三浦光世。後に夫になる人です。光世は綾子のことを本当に大事にして、愛して、結婚することを決めるのです。病気の治るのを待ちました。もし、治らなくても、自分は綾子以外とは結婚しないと決めたのですが、4年後、綾子は奇跡的に病が癒え、本当に結婚することができたのです。

結婚した綾子は雑貨店「三浦商店」を開き、目まぐるしく働きます。そんな折に弟から手渡された朝日新聞社の一千万円懸賞小説の社告を見て、1年かけて約千枚の原稿を書き上げました。それがデビュー作『氷点』。42歳の無名の主婦が見事入選を果たします。テレビドラマ、映画、舞台でも上演されて、氷点ブームを巻き起こしました。

一躍売れっ子作家となった綾子は『ひつじが丘』『積木の箱』『塩狩峠』など続々と作品を発表します。テレビドラマの成長期とも重なり、作家として大活躍しました。光世は営林局に勤めていたのですが、作家となった綾子を献身的に支えました。『塩狩峠』を書いている頃から綾子は手が痛むようになり、光世が代筆して、口述筆記のスタイルを採るようになりました。それからの作品はすべてそのスタイルです。光世は取材旅行にも同行しました。文字通り、夫婦としても、創作活動でもパートナーとして歩みました。

1971年、転機が訪れます。主婦の友社から、明智光秀の娘の細川ガラシャを書いてくれとの依頼があり、翌年取材旅行へ。これが初の歴史小説となり、『泥流地帯』『天北原野』『海嶺』などの大河小説の皮切りとなりました。三浦文学の質がより広く深くなったのです。同じく歴史小説の『千利休とその妻たち』も好評を博しました。

ところが1980年に入り、「病気のデパート」と自ら称したほどの綾子は、その名の通り次々に病気にかかります。人生はもう長くないと感じた綾子は、伝記小説をその頃から多く書きました。クリーニングの白洋舎を創業した五十嵐健治氏を描いた『夕あり朝あり』は、激動の日本社会をも映し出し、晩年の作品へとつながる重要な作品です。

1990年に入り、パーキンソン病を発症した綾子は「昭和と戦争」を伝えるべく、最後の力を振り絞って『母』『銃口』を書き上げました。〝言葉を奪われる〟ことの恐ろしさと、そこに加担してしまう人間の弱さをあぶり出したこの作品は、「三浦綾子の遺言」と称され、日本の現代社会に警鐘を鳴らし続けています。

綾子は、最後まで書くことへの情熱を持ち続けた人でした。そして光世はそれを最後まで支え続けました。手を取り合い、理想を現実にして、愛を紡ぎつづけた二人でした。

そして１９９９年10月12日、77歳でこの世を去りました。旭川を愛し、北海道を〝根っこ〟にして書き続けた35年間。単著本は八十四作にのぼり、百冊以上の本を世に送り出しました。

今なお彼女の作品は、多くの人々に生きる希望と励ましを与え続けています。

三浦綾子とその作品について

この「手から手へ〜 三浦綾子記念文学館復刊シリーズ」は、〝紙の本で読みたい〟という三浦綾子文学ファンの声に応えるため、絶版や重版未定のまま年月が経過した作品を、三浦綾子記念文学館が編集し、本にしたものです。

〈シリーズ一覧〉

(1) 三浦綾子『果て遠き丘』(上・下) 2020年11月20日
(2) 三浦綾子『青い棘』 2020年12月1日
(3) 三浦綾子『嵐吹く時も』(上・下) 2021年3月1日
(4) 三浦綾子『帰りこぬ風』 2021年3月1日

(5) 三浦綾子『残像』（上・下） 2021年7月1日

(6) 三浦綾子『石の森』 2021年7月1日

(7) 三浦綾子『雨はあした晴れるだろう』（増補） 2021年10月1日

(8) 三浦綾子『広き迷路』 2021年10月30日

(9) 三浦綾子『裁きの家』 2023年2月14日

(10) 三浦綾子『積木の箱』 2023年春頃刊行予定

ほか、公益財団法人三浦綾子記念文化財団では左記の出版物を刊行しています（刊行予定を含む）。

〈氷点村文庫〉

(1)『おだまき』（第一号第一巻）　２０１６年12月24日　※絶版

(2)『ストローブ松（まつ）』（第一号第二巻）　２０１６年12月24日　※絶版

〈記念出版〉

(1)『合本特装版　氷点・氷点を旅する』　２０２２年4月25日

(2)『三浦綾子生誕100年記念アルバム　―ひかりと愛といのちの作家』　２０２２年10月12日

〈横書き・総ルビシリーズ〉

(1)『横書き・総ルビ　氷点』（上・下）　２０２２年９月30日

(2)『横書き・総ルビ　塩狩峠』　２０２２年８月１日

(3)『横書き・総ルビ　泥流地帯』　２０２２年８月１日

(4)『横書き・総ルビ　続泥流地帯』　２０２２年８月15日

(5)『横書き・総ルビ　道ありき』　２０２２年９月１日

(6)『横書き・総ルビ　細川ガラシャ夫人』（上・下）　２０２２年12月25日

〈読書のための「本の一覧」のご案内〉

三浦綾子記念文学館の公式サイトでは、三浦綾子文学に関する本の一覧を掲載しています。読書の参考になさってください。左記URLあるいはQRコードでご覧ください。

https://www.hyouten.com/dokusho

ミリオンセラー作家

三浦綾子

1922年北海道旭川市生まれ。小学校教師、13年にわたる闘病生活、恋人との死別を経て、1959年三浦光世と結婚し、翌々年に雑貨店を開く。

1964年小説『氷点』の入選で作家デビュー。約35年の作家生活で84にものぼる単著作品を生む。人の内面に深く切り込みながらそれでいて地域風土に根ざした情景描写を得意とし〝春を待つ〟北国の厳しくも美しい自然を謳い上げた。1999年、77歳で逝去。

MIURA AYAKO LITERATURE MUSEUM 三浦綾子記念文学館

www.hyouten.com

〒070-8007　北海道旭川市神楽7条8丁目2番15号

電話 0166-69-2626　FAX 0166-69-2611

toiawase@hyouten.com

果て遠き丘　下

手から手へ 〜 三浦綾子記念文学館復刊シリーズ ①

令和二年七月一日　私家版初版発行
令和二年十一月二十日　私家版改版発行
令和三年十月三十日　初版発行
令和五年二月十四日　第二刷

著者　三浦綾子
発行者　田中綾
発行所　公益財団法人三浦綾子記念文化財団
〒〇七〇—八〇〇七
北海道旭川市神楽七条八丁目二番十五号
電話　〇一六六—六九—二六二六
https://www.hyouten.com
価格はカバーに表示してあります。
印刷所　三浦綾子記念文学館・株式会社あいわプリント
製本所　有限会社すなだ製本

 ISBN 978-4-9908389-4-2